P9-DHQ-721

Couverture: d'après une maquette de Jean Miville-Deschênes.

Soeur Saint-François d'Assise (Marie Joseph Hallé) et François Baillairgé, Chapelle Notre-Dame des Anges, vue d'ensemble, bois doré, argenté et carné, 1788, Hôpital-Général de Québec.
(photo John R. Porter)

L'ART DE LA DORURE AU QUÉBEC

«Le présent ouvrage a été publié grâce à une subvention accordée par le Conseil Canadien de Recherches sur les Humanités, dont les fonds ont été fournis par le Conseil des Arts du Canada».

L'ART DE LA DORURE AU QUÉBEC

du XVIIe siècle à nos jours

John R. Porter

Éditions Garneau
Québec

ISBN 0-7757-0576-4
Dépôt légal — 4e trimestre 1975
Bibliothèque nationale du Québec

Éditions Garneau, Québec

À Martine

PRÉFACE

Au fil des années, à mesure que progressent lentement les études et les recherches sur l'art ancien du Québec, il faut s'attendre à ce que des aspects de plus en plus précis de cet art fassent l'objet de la curiosité des chercheurs. Nous n'avons plus à prouver aujourd'hui l'existence même de l'art ancien du Québec, reflet de la culture d'une civilisation française en Amérique. Il nous reste cependant une tâche non moins ardue que celle de nos prédécesseurs: définir et analyser cet art ancien du Québec et faire en sorte qu'il devienne partie intégrante de notre histoire. Pour cela, des outils de travail sont nécessaires et le livre de John R. Porter sur l'art de la dorure en est un.

La dorure n'est pas à proprement parler un art, mais un métier d'art basé sur l'application d'une technique bien particulière qui demande une patience à toute épreuve. Importée de France, cette technique fut beaucoup utilisée en Nouvelle-France parallèlement au développement de la sculpture sur bois. Il est en fait indispensable de tout savoir sur la dorure lorsqu'on étudie la sculpture ancienne du Québec. L'or et l'argent qu'on appliquait sur le bois sculpté lui conféraient ses lettres de noblesse et le coût très élevé de cette opération ne faisait pas reculer la clientèle des doreurs et des doreuses. Lorsqu'on met en parallèle l'histoire de l'orfèvrerie avec celle de la dorure au Québec, on peut commencer à se poser des questions intéressantes sur cette société d'autrefois qui fut la nôtre et sur les valeurs qui étaient les siennes. Et on ne cesse de s'étonner des énormes ressources d'énergie et de monnaie investies dans des entreprises qui, en fin de compte, n'étaient rentables que sur un plan spirituel.

Ce n'est pas un livre facile qu'a écrit John R. Porter. Dans les limites de son sujet, il nous apporte une information sûre basée sur des sources premières. Il définit la technique de la dorure, trace les grandes lignes de l'histoire de son utilisation au Québec et étudie en profondeur — avec documents à l'appui — l'atelier de l'Hôpital Général de Québec. Ce faisant, il nous fait découvrir un aspect peu connu de la civilisation ancienne du Québec. Il pose un des jalons essentiels à une meilleure compréhension de notre art d'autrefois et de ses prolongements.

Jean Trudel

REMERCIEMENTS

Nous tenons à remercier tous ceux qui ont contribué de près ou de loin à la réalisation du présent ouvrage. Nous voulons particulièrement souligner le précieux concours des archivistes de l'Hôpital-Général de Québec, soeur Lucie Vachon et soeur Claire Lévesque, qui nous ont patiemment fourni tous les documents dont nous avions besoin pour nos recherches sur l'ancien atelier de dorure des hospitalières. Nos remerciements s'adressent aussi à notre collègue, M. Jean Trudel, pour ses conseils judicieux et pour la préface de ce livre, et à notre secrétaire, Mlle Francine Edgar, pour avoir bien voulu dactylographier notre manuscrit. Enfin, nous sommes redevables de leurs diverses contributions à soeur Marcelle Boucher, archiviste du monastère des ursulines de Québec, à soeur Claire Gagnon, archiviste de l'Hôtel-Dieu de Québec, à Mlle Nicole Cloutier, à Mme Carolle Marier et à MM. Louis-André Carli, Joseph Soligeo, André Barbeau et Léopold Désy.

J.R.P.

DU MÊME AUTEUR

Gustave Moreau et le fantastique, Université Laval, mai 1972, XXXVII-106 p. (thèse de maîtrise inédite).

Les églises de Charlesbourg et l'architecture religieuse du Québec, Québec, Ministère des Affaires Culturelles, 1972, 132 p. (en collaboration avec Luc Noppen).

L'ancienne chapelle des Récollets de Trois-Rivières, Ottawa, Galerie nationale du Canada, 1972, 36 p. (Bulletin 18/1971; avec la collaboration de Léopold Désy).

Calvaires et croix de chemins du Québec, Montréal, Hurtubise HMH, 1973, 145 p. (avec la collaboration de Léopold Désy).

Le Calvaire d'Oka (aussi publié en anglais sous le titre **The Calvary at Oka**), Ottawa, Galerie nationale du Canada, 1974, xvi-125 p. (en collaboration avec Jean Trudel).

Antoine Plamondon: Soeur Saint-Alphonse, Ottawa, Galerie nationale du Canada, 1975, 32 p. (Chefs-d'oeuvre de la Galerie nationale du Canada, no 4).

En préparation

Annonciations sculptées du Québec (avec la collaboration de Léopold Désy).

AVANT-PROPOS

En 1946, Marius Barbeau publiait le second volet de ses *Saintes Artisanes*. Il y consacrait une douzaine de pages à l'histoire de la dorure au Québec. Très générale et quelque peu confuse, cette brève étude comprenait des erreurs d'interprétation. Néanmoins, par son travail, l'auteur révélait un secteur de recherches jusque là inexploré et riche de promesses. Curieusement, ce secteur ne semble pas avoir particulièrement attiré les chercheurs car, depuis lors, aucune publication ne fut consacrée à l'art de la dorure au Québec. Nous nous devons toutefois de mentionner le mémoire de Reine Otis rédigé en 1969 et intitulé *La dorure chez les Ursulines de la Nouvelle-France*. Demeuré inédit, ce travail allait déjà plus loin dans l'approche historique d'un des principaux ateliers de dorure qu'ait connu le Québec. Bien que non exhaustif, il avait notamment le mérite de souligner la renaissance des anciens procédés de dorure suscitée au XXe siècle par soeur Gertrude Blake, une ursuline de Québec.

En poursuivant des recherches de longue haleine dans les archives de l'Hôpital-Général de Québec, nous nous sommes rendu compte que le matériel documentaire concernant l'ancien atelier de dorure de cette institution était assez abondant. Dès lors, nous avons voulu approfondir l'histoire de cette «industrie» des hospitalières en ayant recours à toutes les sources d'informations disponibles. Ceci devait nous amener à déborder le cadre premier de notre étude. En effet, il nous est vite apparu primordial d'analyser les anciens procédés de dorure utilisés au Québec et de jeter quelque lumière sur la terminologie propre à cet art. De plus, pour mieux situer le rôle majeur joué par les doreuses de l'Hôpital-Général de Québec, nous avons cherché à préciser dans ses grandes lignes l'histoire de la dorure au Québec, un art pratiqué chez nous depuis le XVIIe siècle, que ce soit par des membres de communautés religieuses ou par des particuliers.

TABLE DES MATIÈRES

SIGLES ET ABRÉVIATIONS

AACQ *Almanach des adresses Cherrier de la ville de Québec.*
ACND Archives de la Congrégation Notre-Dame (Montréal).
AHDQ Archives de l'Hôtel-Dieu de Québec
AHGQ Archives de l'Hôpital-Général de Québec.
AJSJ Archives judiciaires de Saint-Jérôme.
AJQ Archives judiciaires de Québec.
AMUQ Archives du monastère des ursulines de Québec.
ANDF Archives de Notre-Dame de Foy.
ANDQ Archives de Notre-Dame de Québec.
ANN Annales de l'HGQ.
ANQM Archives nationales du Québec à Montréal.
ASM Archives de Saint-Martin de l'Île Jésus.
ASQ Archives du Séminaire de Québec.
BM Annuaires de Boulanger et Marcotte *(Indicateur de Québec & Lévis; Annuaire de Québec & Lévis; Annuaire des adresses de Québec et Lévis).*
CDQ *Cherrier's Directory of Quebec (The Quebec Directory* edited by G.H. Cherrier; *Cherrier's Quebec City Directory).*
CDQL *Cherrier's Directory of Quebec and Levis (Cherrier's Quebec City and Levis Directory).*
CKD *Cherrier & Kirwin's Quebec and Levis Directory.*
DBC Allaire (abbé J.B.-A.), *Dictionnaire biographique du clergé canadien-français. Les Anciens.*
DU Otis (Reine), *La dorure chez les Ursulines de la Nouvelle-France.*
HA Roy (Christian), *Histoire de l'Assomption.*
HL Lesage (Germain), *Histoire de Louiseville.*
HGQ Hôpital-Général de Québec.
HSA Béchard (A.), *Histoire de la paroisse St-Augustin.*
I.O. Île d'Orléans.
IOA Inventaire des Oeuvres d'Art du Québec.
J Journal des recettes et dépenses de l'HGQ.
JFB Journal de François Baillairgé.
LC Livre des comptes de l'HGQ.
LDDC *Lovell's... Directory... of... the Dominion of Canada.*

LMD	*Lovell's Montréal Directory.*
LPQD	*Lovell's Province of Quebec Directory (Lovell's... Directory of the Province of Quebec).*
MA	Annuaires d'Édouard et Arthur Marcotte *(Édouard Marcotte — Québec — Adresses; Marcotte Québec et Lévis Adresses enrg.; Marcotte, Adresses de Québec et Lévis).*
MLQD	*McLaughlin's Quebec Directory.*
MQD	*Mackay's Quebec Directory.*
NMAM	Notes et mémoires des anciennes mères (AHDQ).
SA	Barbeau (Marius), *Saintes Artisanes.*
SU	Gauthier (Henri), *Sulpitiana.*
TCD	*The Canada Directory.*

BIBLIOGRAPHIE

1. Archives et sources manuscrites

1.1 Archives de communautés religieuses

Archives de la Congrégation Notre-Dame de Montréal

— *Livre des meubles et otencilles pour La Communauté des Soeurs de La Congregation Notre Dame de Montreal*, 159 p. [Ce livre manuscrit comporte différents inventaires répartis entre 1722 et 1889]

Archives de l'Hôpital-Général de Montréal

— *Livre des recettes et dépenses*, (vol. 2), (1747-1779)

— *Livre des recettes et dépenses*, (vol. 3), (1779-1823)

Archives de l'Hôpital-Général de Québec

— *Annales des Religieuses Hospitalières de la Miséricorde de Jésus, établies à l'Hôpital-Général Notre-Dame des Anges pres Québec* [fondé] *par Mgr. J. Baptiste de la Croix de Chevrières de Saint-Vallier, Second Evêque de Québec, en 1693*, (tome II), (1743-1793): 515 p.; (tome III), (1794-1843): 211 p. et autres non numérotées.

— Dossier «*Différentes lettres*», *no 27*

— *Journal (1760-1825)*, 559 p.

— *Journal (1867-1873)*, VI-415-v p.

— *Journal (1874-1907)*, 698 p.

— *Journal du dépôt*, (tome I), (1692-1909), s.p.

— *Journal et grand Journal de puis 1718 jusqu'à 1738* [recettes et dépenses]

— *Journal (1757-1776)* [recettes et dépenses]

— *Journal de Recette et de depense de l'hopital général Commencé depuis L'arrêté des contes du premier de mai mil Sept cens quatre vingt* [jusqu'au mois de mars 1799]

— *Journal de Recettes et de dépense de l'hôpital général prés québec, Commencer en recettes le 12 mars 1799 et la dépense le 16 octobre 1798* [les comptes de la recette vont jusqu'au 28 avril 1808: 61 p. (bis); ceux de la dépense jusqu'au 27 avril 1808: 125 p. (bis)]

— *Journal de la Dépense et recette depuis 1808 jusqu'à 1827*, 371 p. (bis) [les comptes de la recette vont jusqu'au 25 avril 1827 et ceux de la dépense jusqu'au 31 août 1825]

— *Journal de la Dépense de L'Hopital Général Commencer le pr. Septembre 1825 & Journal de la Recette de l'hopital Général Commencé le 4 mai 1827* [ils se terminent à la fin de 1843], 329 p. (bis)

— *Journal de la Dépense de l'Hôpital Général de Québec commencé le 1er Janvier 1844 & Journal de la Recette de l'Hôpital Général Commencé le 1er Janvier 1844* [ils se terminent tous deux le 9 octobre 1866], (pagination irrégulière et incomplète)

— *Journal de la dépense de l'Hopital-Général de Québec Commencé le 10 octobre 1866* [il se termine le 27 juillet 1889], & *Journal de la recette de l'Hôpital-Général de Québec Commencé le 10 octobre 1866* [il se termine le 31 juillet 1892], s.p.

— *Journal du Pensionnat de l'Hôpital Général de Québec. 1835-1867,* s.p. sauf les 45 premières pages.

— *Journal tenu par les Novices,* (15 janvier 1837 — 29 décembre 1857), 234 p.

— *Livre des Comptes de l'hopital general Etably prez de Quebec par Monseig*[r] *de Lacroix de St-Vallier Second Eveque de cette ville et Administré par les Religieuses hospitalières de la Misericorde de Jésus;* (7 livres): (1693-1726), (1727-1750), (1751-1776), (1777-1803), (1804-1825), (1825-1861), (1862-1940)

— *Notes diverses, 1686-1866,* 646 p.

— *Notes sur la médecine et pour dorures et peintures* [petit carnet manuscrit ni daté, ni paginé]

— *Suite des annales des Religieuses de la miséricorde de jesus. Etablie à notre Dame des Anges près Québec,* (1709-1729), 84 p.

Archives de l'Hôtel-Dieu de Montréal

— *Registre des recettes et depenses de l'Hotel-Dieu de Montreal,* (1696-1726), 136 p.

Archives de l'Hôtel-Dieu de Québec

— *Actes capitulaires (17 juillet 1700 — 25 décembre 1922),* 263 p.

— *Fonds Soeur Sainte-Marie (Lemieux)* [comprenant notamment un petit livre d'anciennes techniques, une «recette pour faire le mordant pour doré à l'huile» et un texte révélant le secret de la dorure aux religieuses de l'HDQ]

— *Journal des Religieuses Hospitalières de la Miséricorde de Jésus, troisième volume, Hôtel-Dieu du Précieux Sang, Québec,* (4 avril 1877 — 21 avril 1888), 590 p.

— *Livre de Compte pour les Recettes et Dépenses de la Communauté de l'Hôtel-Dieu de Québec. 1er janvier 1826,* (1er janvier 1825 — 5 février 1857), 535 p.

— *Monastère. Dépenses, (1829-1849),* 357 p.

— *Notes et mémoires des anciennes mères. XVIIIe, XIXe et XXe siècles,* (ar. 5), enveloppe no 10 (1834-1840)

— *Recettes et dépenses du Monastère de l'Hôtel-Dieu de Québec,* (1755-1778)

Archives du monastère des ursulines de Québec

— *Journal 7* (1838-1839)

— *Journal 16* (1850-1853)

Archives du Séminaire de Québec

— *Brouillard. Recette et dépense (1837-1848),* s.p., [c-32]

— *Brouillard (1859-1864),* s.p., [c-52]

— *Brouillard (1864-1867),* s.p., [c-53]

— *Brouillard (1868-1874),* 933 p., [c-54]

— *Brouillard (1875-1879),* s.p., [c-55]

— *Brouillard (1893-1896),* s.p., [c-73]

— *Journal* [des recettes et dépenses] *(1858-1864),* 617 p., [c-45]

— *Journal* [des recettes et dépenses] *(1865-1870),* 776 p., [c-46]

— *Journal* [des recettes et dépenses] *(1871-1875),* 653 p., [c-47]

— *Journal. Séminaire,* vol. IX

— *Polygraphie 26,* nos 4 et 4a

— *Séminaire 79,* no 14

— *Séminaire 182,* nos 30, 30c et 31e

— *Séminaire, Carton 16,* no 6

— *Université 172* no 61 a

1.2 Archives judiciaires

Québec

— État civil de Notre-Dame de Québec (1759-1768)

— Greffe du notaire Joseph Planté: nos 3738 (30.5.1804), 5589 (5.2.1811), 5751 (28.6.1811) et 7314 (12.5.1817)

Saint-Jérôme

— Greffe du notaire P.R. Gagnier: no 5317 (28.12.1806)

— Greffe du notaire G. Coursolles: no 300 (22.5.1826)

1.3 Archives nationales du Québec, Montréal

— État civil de Notre-Dame de Montréal, 1786, f° 2

— Greffe du notaire G. Baret (26.6.1832)

— Greffe du notaire René Boileau: nos 3289 (7.7.1815) et 3290 (7.7.1815)

— Greffe du notaire L. Chaboillez: no 8835 (19.8.1809)

— Greffe du notaire Michel Charest: no 755 (5.11.1829)

— Greffe du notaire J.B. Constantin: nos 1530 (31.8.1816), 1772 (10.10.1817), 1805 (19.2.1818), 2499 (10.10 1821), 2591 (20.4.1822), 2826 (27.3.1824), 2845 (14.4.1824), 2849 (23.4.1824), 2900 (7.8.1824), 3134 (28.1.1826), 3805 (11.3.1830) et 4382 (4.10.1834).

— Greffe du notaire C.F. Dandurand: no 930 (12.9.1813)

— Greffe du notaire Pierre-Joseph David: no 220 (24.2.1834)

— Greffe du notaire Jean -Baptiste Desêve: no 1168 (8.8.1796)

— Greffe du notaire Alexis C. le Noblet Duplessis: no 1327 (18.2.1819)

— Greffe du notaire Louis Huguet-Latour: no 16 (10/11/12.10.1804)

— Greffe du notaire André Jobin: no 3647 (13.3.1825) avec trois quittances, (14.3.1825), (5.10.1826) et (28.9.1829)

— Greffe du notaire Pierre Lanctôt: no 1404 (15.5.1817)

— Greffe du notaire François Leguay fils: no 217 (22.12.1795)

— Greffe du notaire N. Manteht: nos 401 (1.2.1811) et 651 (4.7.1813)

— Greffe du notaire J. Payement: no 1132 (5.3.1820)

— Greffe du notaire Louis Thibaudault: no 4213 (14.7.1816)

— Registre des Audiences, vol. 23 (1744-1746), folio 402 (2.5.1746)

1.4 Archives paroissiales

Bagotville:

— Contrat (25.8.1885)

— *Grand livre de recettes et dépenses* (1848-1946)

Notre-Dame de Foy:

— *Livre de comptes et de délibérations (1756-1818)*

— *Livre de comptes et de délibérations (1834-1865)*

Notre-Dame de Québec:

— *Dossier 17°, 18°, 19°: Baillargé, Ranvoyzé et Amiot* (grand coffre bleu marqué: «Fabrique de Québec. 15 janvier 1800»)

— *Livre de compte de N. Dame de Québec, 1670-1709,* 381 p.

— *Livre de comptes de N. Dame de Québec, 1768-1786* (Ms 9)

— *Livre de Comptes de N. Dame de Québec 1786-1803* (Ms 11), 456 p.

— *Livre de délibérations de N. Dame de Québec (1777-1825)* (Ms 17), 532 p.

— Carton 5, no 97 *(Travaux à l'église 1825-1885 — Presbytère — Terrain — Travaux etc,* 251 pièces)

— Carton 10, no 25 a *(Dépenses de l'église, 1725-1827,* 317 pièces)

— Carton 12, no 2 *(Inventaire des meubles ustensiles & ornemens de l Eglise Paroichiale de quebec,* 1653 et suivantes)

— *Prônes, 1822-1827* (Ms 82), 535 p.

Laurierville:

— *Livre des Redditions de comptes des Fabriciens de Ste Julie de Somerset depuis le 15 décembre 1861.*

Saint-Martin de l'Île Jésus:

— *Livre des deliberations de 1782 à 1838*

1.5 Inventaire des oeuvres d'art du Québec, Québec

A) Paroisses:

— Ange-Gardien: Livre de comptes III (1800-1864)

— Beaumont: Livre de comptes III (1847-1902)

— Bécancour: Livre de comptes II

— Berthier-en-Haut: Livre de comptes I (1752-1821); Livre de comptes II (1822-1852)

— Boucherville: Livre de comptes II (1792-1831)

— Chambly: Livre de comptes I

— Charlesbourg: Livre de comptes (1775-1838)

— Île-aux-Coudres: Livre de comptes I (1770-1850)

— Lachenaie: Livre de comptes II (1739-1790); Livre de comptes III (1791-1859)

— Lanoraie: Livre de comptes II (1792-1839)

— L'Assomption: Livre de comptes I (1742-1809)

— Lauzon: Livre de comptes I (commencé en 1694)

— Lavaltrie: Marché (13.8.1820)

— Les Becquets: Livre de comptes II (1820-1881)

— Les Cèdres: Livre de comptes II (1816)

— Les Écureuils: Livre de comptes I

— L'Islet: Livre de comptes I (1700-1779); Livre de comptes II (1798-1815); Livre de comptes III (commencé en 1816)

— Lotbinière: volume II des archives, pièce 11 (14.11.1877)

— Montmagny: Livre de comptes (1767-1881)

— Montréal (Congrégation Notre-Dame)

— Montréal (Hôtel-Dieu): Livre de comptes I (1696-1726)

— Montréal (Hôpital-Général): Mémoires (1705-1857)

— Montréal (Notre-Dame): boîtes 1805 et 1815; reçu (2.6.1860)
— Neuville: Livre de comptes II (1794-1864)
— Repentigny: Livre de comptes II (1756-1877)
— Rigaud: Livre de comptes I (1801-1848)
— Rivière-des-Prairies: Livre de comptes I (1703-1848)
— Rivière-Ouelle: Livre de comptes I (1735-1814)
— Saint-Antoine-de-Tilly: Livre de comptes II (1766-1789); Livre de comptes III (1791-1862)
— Saint-Antoine-sur-Richelieu: Livre de comptes I (1750-1832)
— Saint-Cuthbert: Livre de délibération I (1787-1878); Livre de comptes I (1798-1880)
— Saint-Denis-sur-Richelieu: Livre de comptes I (1755-1821)
— Saint-Eustache: Livre de comptes (1802-1842)
— Saint-François-du-Lac: Livre de comptes I (1729-1805); Livre de comptes II (1807-1849)
— Saint-François-de-Sales (Île Jésus): Livre de comptes I (1740-1804)
— Saint-François (I.O.): Livre de comptes I et II
— Saint-François de Montmagny: Livre de comptes III (1790-1871)
— Saint-Grégoire de Nicolet: Marché (19.6.1832)
— Saint-Henri de Lévis: Livre de comptes I (1781-1875)
— Saint-Hughes: Livre de comptes II
— Saint-Hyacinthe: Livre de comptes I; Etat de compte de Joseph Richer (17.1.1873)
— Saint-Isidore: Livre de comptes I (1845-1915)
— Saint-Joachim: Livre de comptes I (1765-1783); Livre de comptes II (1784-1814)
— Saint-Laurent (I.O.): Livre de comptes II (1779-1833)
— Saint-Laurent (Montréal): Livre de comptes II
— Saint-Louis de Kamouraska: cartable de papiers divers
— Saint-Marc-sur-Richelieu: Livre de comptes I (1794-1826)
— Saint-Mathias: Livre de comptes I
— Saint-Michel de Bellechasse: Livre de comptes II (1775-1860)
— Saint-Ours-sur-Richelieu: Livre de comptes et délibérations II (1792-1903)
— Saint-Paul de Joliette: Livre de comptes (1784-1850)
— Saint-Pierre (I.O.): Livre de comptes I (1689-1789); Livre de comptes II (1789-1921)

— Saint-Pierre de Montmagny: Livre de comptes II (1783-1845); Journal (1794-1807)

— Saint-Rémi de Napierville: Livre de comptes II (1831-1856)

— Saint-Roch-des-Aulnaies: Livre de comptes II (1781-1866)

— Saint-Roch (Québec): Délibérations des marguilliers

— Saint-Sulpice: Livre de comptes I

— Saint-Vallier: Livre de comptes I

— Sainte-Anne-de-Beaupré: Livre de comptes I (1659-1731); Livre de comptes II (1730-1777); Livre de comptes III

— Sainte-Anne-de-la-Pocatière: Livre de comptes II (commencé en 1781)

— Sainte-Famille (I.O.): Livre de comptes I (1767-1870)

— Sainte-Marie de Beauce: Livre de comptes I (1766-1831)

— Sainte-Rose: Livre de comptes (1797-1838)

— Sault-au-Récollet: Livre de comptes I (1737-1823)

— Varennes: Livre de comptes II (1725-1779); Livre de comptes III (1780-1834); Comptes du marguillier de la Vierge (1786-1846)

— Vaudreuil: Livre de comptes I (1772-1824)

— Verchères: Livre de comptes I; Livre de comptes IV (1800-1822); Registres (1799)

— Yamachiche: Livre de comptes et délibérations (1789-1843)

B) Doreurs et sculpteurs:

— Alméras (Louis)

— Annesley (William)

— Bailey (James)

— Bailey (Joseph)

— Baillairgé (François): dossier comprenant notamment son *Journal* (1784-1800) [transcription de Gérard Morisset]

— Baillairgé (Thomas)

— Bercier (Étienne)

— Berlinguet (Louis-Thomas)

— Burges (Jean)

— Charron (Amable)

— Chasseur (Pierre)

— David (David Fleury)

— Desrochers (Urbain Brien dit)

— Gauthier (Amable)
— Giroux (Raphaël)
— Glackmeyer (Michel)
— Leblanc (Augustin)
— Leprohon (Louis-Xavier)
— Liébert (Philippe)
— Menesson (Claude-Vincent)
— Millette (Alexis)
— Ouellet (David)
— Pépin (Joseph)
— Perreault (Chrysostôme)
— Quévillon (Louis)
— Richer (Joseph)
— Roy (Joseph)
— Saint-James (René . . . dit Beauvais)
— Wolff (Louis Augustin)

2. *Chroniques et sources orales*

2.1 Chroniques

— Chroniques de trois sacristains Huot de l'Ancienne-Lorette, rédigées depuis 1879, manuscrit non paginé d'environ 70 pages

2.2 Sources orales

— Entrevue avec M. Louis-André Carli (7.9.1973)
— Entrevue avec M. Joseph soligeo (5.10.1973)

3. *Sources imprimées*

3.1 Journaux

— *Journal de la Chambre d'Assemblée du Bas-Canada* (7.3.1835)
— *La Gazette de Québec:* (2.9.1822), (22.1.1824), (23.2.1824) et (9.11.1831); nous avons également consulté l'index de ce journal aux Archives publiques du Canada.
— *La Minerve:* (12.8.1850), (1.2.1877) et (7.1.1892)
— *La Patrie:* (14.9.1883) et (9.9.1885)

— *La Presse:* (15.9.1887), (13.9.1889) et (8.9.1894)

— *Le Canadien:* (9.11.1831) et (28.8.1835)

— *Le Journal de Québec:* (3.12.1844), (21.8.1849), (9.10.1849), (24.7.1874), (19.6.1875) et (14.1.1878)

3.2 Annuaires [par ordre chronologique]

— *Lovell's Montreal Directory for 1842-43* (extrait cité dans le dossier Joseph Bailey de l'IOA)

— *Mackay's Quebec Directory for 1848-9,* Quebec, Mackay, 1848, 252 p.

— Mackay (Robert W.S.), *The Canada Directory (1851-1852),* Montreal, John Lovell, 1851, 692 p.

— McLaughlin (S.), *Quebec Business Directory. 1854-5,* Quebec, Bureau & Marcotte, 1854, 180 p.

— McLaughlin (S.), *McLaughlin's Quebec Directory. 1855-6,* Quebec, Bureau & Marcotte, (1855-56), 236-64 p.

— *McLaughlin's Quebec Directory. 1857-8,* Quebec, S. McLaughlin, 1857, 316 p.

— *The Canada Directory for 1857-58,* Montreal, John Lovell, 1857, 1544 p.

— *The Quebec Directory for 1858-59,* edited by G.H. Cherrier & P.M. Hamelin, Quebec, P. Lamoureux, 1858, 402 p.

— *The Quebec Directory for 1860-61,* edited by G.H.Cherrier, Quebec, John Lovell, 1860, 440 p.

— *The Quebec Directory for 1861-62,* edited by G.H. Cherrier, Quebec, John Lovell, 1861, 488 p.

— *The Quebec Directory for 1862-63,* edited by G.H. Cherrier, Quebec, John Lovell, 1862, 473 p.

— *The Quebec Directory for 1863-64,* edited by G.H. Cherrier, Quebec, John Lovell, 1863, 472 p.

— *The Quebec Directory for 1866-67,* edited by G.H. Cherrier, Quebec, John Lovell, 1866, 484 p.

— *The Quebec Directory for 1867-68,* edited by G.H. Cherrier, Quebec, John Lovell, 1867, 453 p.

— *The Quebec Directory for 1868-69,* edited by G.H. Cherrier, Quebec, John Lovell, 1868, 435 p.

— *The Quebec Directory for 1869-70,* edited by G.H. Cherrier, Quebec, John Lovell, 1869, 453 p.

— *The Quebec Directory for 1870-71,* edited by G.H. Cherrier, Quebec, John Lovell, 1870, 444 p.

— *Lovell's Province of Quebec Directory for 1871,* Montreal, John Lovell, 1871, 887 p.

— *The Quebec Directory for 1871-72,* edited by G.H. Cherrier, Quebec, John Lovell, 1871, 467 p.

— *Cherrier & Kirwin's Quebec and Levis Directory for 1872-73,* (Quebec), Cherrier & Kirwin, 1872, 168 p.

— *Cherrier's Quebec Directory, for 1873-74,* (Quebec), A.B. Cherrier, 1873, 224 p.

— *Cherrier's Directory of Quebec and Levis For the Year ending May 1, 1875,* (Quebec), A.B. Cherrier, 1874, 252 p.

— *Cherrier's Directory of Quebec and Levis For the Year ending May 1, 1876,* (Quebec), A.B. Cherrier, 1875, 316 p.

— *Cherrier's Directory of Quebec and Levis For the Year ending May 1, 1877,* (Quebec), A.B. Cherrier, 1876, 297 p.

— *Cherrier's Directory of Quebec and Levis For the Year ending May 1, 1878,* (Quebec), A.B. Cherrier, 1877, 324 p.

— *Cherrier's Directory of Quebec and Levis For the Year ending May 3, 1879,* (Quebec), Cherrier & Co, 1878, 293 p.

— *Cherrier's Directory of Quebec and Levis For the Year ending May 3, 1880,* (Quebec), Cherrier & Co., 1879, 230 p.

— *Cherrier's Quebec Directory . . . For the Year ending May 3, 1881,* Quebec, Cherrier & Co., 1880, 232 p.

— *Cherrier's Quebec city Directory for the Year ending May 3, 1882,* Quebec, Cherrier & Co., 1881, 420 p.

— *Cherrier's Quebec city Directory for the Year ending May 3, 1883,* Quebec, Cherrier & Co., 1883, 490 p.

— *Cherrier's Quebec City and Levis Directory, . . . For the Year ending May 3, 1884,* Quebec, Cherrier & Co., 1883, 498 p.

— *Cherrier's Quebec City Directory . . . For the Year Ending May 3, 1885,* Quebec, A.B. Cherrier, 1884, 451 p.

— *Cherrier's Quebec City Directory . . . For the Year Ending May 3, 1886,* Quebec, A.B. Cherrier, 1885, 420 p.

— *Almanach des adresses Cherrier de la ville de Québec . . . pour l'année finissant le 3 mai 1887* (édition bilingue), Québec, A.B. Cherrier, 1886, 488 p.

— *Almanach des adresses Cherrier de la ville de Québec . . . pour l'année finissant le 3 mai 1888* (édition bilingue), Québec, A.B. Cherrier, 1887, 512 p.

— *Almanach des adresses Cherrier de la ville de Québec . . . pour l'année finissant le 3 mai 1889* (édition bilingue), Québec, A.B. Cherrier, 1888, 540 p.

— *Cherrier's Quebec City Directory. 1889-90,* Québec, A.B. Cherrier, 1889, 563 p.

— *Lovell's Business and Professional Directory of the Province of Quebec For 1890-91,* Montreal, John Lovell & Son, 1890, 1035 p.

— *L'indicateur de Québec & Lévis . . . 1890-91* (édition bilingue), Québec, Boulanger & Marcotte, 1890, 688 p.

— *L'indicateur de Québec & Lévis . . . 1891-92* (édition bilingue), Québec, Boulanger & Marcotte, 1891, 605 p.

— *L'indicateur de Québec & Lévis . . . 1892-93* (édition bilingue), Québec, Boulanger & Marcotte, 1892, 603 p.

— *Lovell's Montreal Directory For 1893-94,* Montreal, John Lovell & Son, 1893, 1054 p.

— *L'indicateur de Québec & Lévis . . . 1893-94* (édition bilingue) Québec, Boulanger & Marcotte, 1893, 593 p.

— *Lovell's Montreal Directory for 1894-95,* Montreal, John Lovell & Son, 1894, 1127 p.

— *L'indicateur de Québec & Lévis . . . 1894-95* (édition bilingue), Québec, Boulanger & Marcotte, 1894, 378 p.

— *Lovell's Montreal Directory for 1895-96,* Montreal, John Lovell & Son, 1895, 1122 p.

— *L'indicateur de Québec & Lévis . . . 1895-96* (édition bilingue), Québec, Boulanger & Marcotte, 1895, 625 p.

— *L'indicateur de Québec & Lévis . . . 1896-97* (édition bilingue), Québec, Boulanger & Marcotte, 1896, 614 p.

— *Lovell's Business and Professional Directory of cities and towns of... the Dominion of Canada For 1896-97,* Montreal, John Lovell & Son, 1896, 1988 p.

— *L'indicateur de Québec & Lévis... 1897-98* (édition bilingue),. Québec, Boulanger & Marcotte, 1897, 636 p.

— *L'indicateur de Québec & Lévis 1898-99* (édition bilingue), Québec, Boulanger & Marcotte, 1898, 641 p.

— *L'indicateur de Québec & Lévis 1899-1900* (édition bilingue), Québec, Boulanger & Marcotte, 1899, 677 p.

— *L'indicateur de Québec & Lévis 1900-1901* (édition bilingue), Québec, Boulanger & Marcotte, 1900, 677 p.

— *L'indicateur de Québec & Lévis 1901-1902* (édition bilingue), Québec, Boulanger & Marcotte, 1901, 696 p.

— *Lovell's Business and Professional Directory of the Province of Quebec For 1902-03,* Montreal, John Lovell & Son, 1902, 1362 p.

— *L'annuaire de Québec & Lévis 1904-1905* (édition bilingue), Québec, Boulanger & Marcotte, 1904, 722 p.

— *Lovell's Business, Professional and Classifie Trades Directory of the Province of Quebec,* Montreal, John Lovell & Son, July 1910, 1575 p.

— *L'annuaire des adresses de Québec et Lévis . . . 1910-1911* (édition bilingue), Québec, Boulanger & Marcotte, 1910, 810 p.

— *L'annuaire des adresses de Québec et Lévis . . . 1913-1914* (édition bilingue), Québec, Boulanger & Marcotte, 1913, 780 p.

— *Lovell's Business, Professional & Classifical Trades Directory of the Province of Quebec,* Montréal, John Lovell & Son, 1915, 1750 p.

— *L'annuaire des adresses de Québec et Lévis . . . 1915-1916* (édition bilingue), Québec, Boulanger & Marcotte, 1915, 832 p.

— Marcotte (Édouard), *Québec — Adresses — 1920-21* (édition bilingue), Québec, Édouard Marcotte, 1920, 853 p.

— *Marcotte Québec et Lévis Adresses enrg. (directory) — 1925-26* (édition bilingue), Québec, Arthur Marcotte, 1923, 1065 p.

— *Marcotte Québec et Lévis Adresses, enr. (directory) — 1930-31* (édition bilingue), Québec, Arthur Marcotte, 1930, 1141 p.

— *Marcotte, Adresses de Québec et Lévis. 1935-1936* (édition bilingue), (Québec, Marcotte, 1935), 1157 p.

3.3 Traités

— Anonyme, *Traité de mignature pour apprendre aisément à Peindre sans Maistre avec le secret de faire les plus belles Couleurs, l'Or bruny, & l'Or en Coquille* (3e édition revue, corrigée et augmentée), Paris, Christophe Ballard, 1678 (et 1696), (xvi)-166 p.-(X)

— Anonyme, *L'école de la miniature ou l'art d'apprendre à peindre sans maître, Et les Secrets pour faire les plus belles Couleurs* (nouvelle édition, revue, corrigée et augmentée), À Paris, chez J.B.G. Musier, fils, Libraire, Quai des Augustins, au coin de la rue Pavée, M.DCC.LXIX, XVI-179 p.

— Anonyme, *The Painter, gilder, and varnisher's companion, containing rules and regulations in every thing relating to the arts of painting, gilding, varnishing, and glass-staining, numerous useful and valuable receipts . . .* (8th ed.), Philadelphia, H.C. Baird, 1866, 216 p.

— Watin (Jean Félix), *L'art du peintre, doreur, vernisseur; ouvrage utile aux artistes et aux amateurs qui veulent entreprendre de peindre, dorer & vernir toutes sortes de sujets, en bâtimens, meubles, bijoux, équipages . . .* (4e édition, revue, corrigée et augmentée), Paris, J.F. Desoer, 1793, xxxij — 374 p.

3.4 Divers

— *Rapport de l'archiviste de la province de Québec pour 1948-1949* (voir p. 162)

— Roy (Antoine), *Inventaire des greffes des Notaires du Régime français,* XIX Louis Chambalon, 2° partie (1703-1718)

4. Ouvrages de référence

— Adeline (Jules), *Lexique des termes d'art,* Paris, A. Quantin, (s.d.), 420 p.

— Allaire (abbé J.-B.-A.), *Dictionnaire biographique du clergé canadien-français. Les anciens,* Montréal, Imprimerie de l'École Catholique des Sourds-Muets, 1910, 543 p.

— Bosc (Ernest), *Dictionnaire raisonné d'architecture et des sciences et des arts qui s'y rattachent,* Paris, Firmon-Didot, 1883-1884, 4 volumes.

— Diderot (Denis... et autres), *Encyclopédie ou dictionnaire raisonné des sciences, des arts et des métiers par une société de gens de lettres,* Paris, Briasson, David, Le Breton et Durand, 1751-1780, 21 tomes de textes et 14 tomes de planches [voir (I, 5) et (II, 3)].

— Gettens (Rutherford J.) et Stout (George L.), *Painting Materials. A Short Encyclopedia,* New York, D. Van Nostrand Company, Inc., 1942, vii-333 p.

— Magnan (Hormidas), *Dictionnaire historique et géographique des paroisses, missions et municipalités de la province de Québec,* Arthabaska, L'imprimerie d'Arthabaska, 1925, 738 p.

— Réau (Louis), *Dictionnaire illustré d'art et d'archéologie,* Paris, Librairie Larousse, (1930), VIII-486 p.

— Tanguay (Cyprien), *Dictionnaire généalogique des familles canadiennes depuis la fondation de la colonie jusqu'à nos jours,* Montréal, E. Senécal, 1871-90, 7 volumes.

5. Études (livres et catalogues d'exposition)

— Anonyme, *Monseigneur de Saint-Vallier et l'Hôpital Général de Québec,* Québec, C. Darveau, 1882, 743 p.

— Barbeau (Marius), *Saintes Artisanes. I Les Brodeuses,* Montréal, Fides, (1943), 117 p., (Cahier d'Art Arca II)

— Barbeau (Marius), *Saintes Artisanes. II Mille petites adresses,* Montréal, Fides, (1946), 157 p., (Cahiers d'Art Arca III)

— Barbeau (Marius), *Louis Jobin Statuaire,* Montréal, Beauchemin, 1968, 147 p.

— Béchard (A.), *Histoire de la paroisse Saint-Augustin (Portneuf),* Québec, Léger Brousseau, 1885, 395 p.

— Côté (abbé Georges), *La vieille église de Saint-Charles-Borromée, Rivière Boyer,* (Québec, l'Action Sociale Ltée, 1928), s.p.

— Gauthier (Henri, p.s.s.), *Sulpitiana,* Montréal, Bureau des Oeuvres paroissiales de St-Jacques, 1926, 276 p.

— Gosselin (l'abbé Amédée), *L'instruction au Canada sous le régime français (1635-1760),* Québec, Laflamme & Proulx, 1911, 501 p.

— Gowans (Alan), *Church Architecture in New France,* Toronto, University of Toronto Press, 1955, 162 p.

— Harper (John Russell), *Early Painters and Engravers in Canada,* (Toronto, University of Toronto Press, 1970), XV — 376 p.

— Lapalice (Ovide-M.-H.), *Histoire de la seigneurie Massue et de la paroisse de Saint-Aimé,* (s.l.), (s. éd.), 1930, 432 p.

— Leduc (R.P. Augustin), *Beauharnois. Paroisse Saint-Clément. 1819-1919,* Ottawa, Cie d'Imprimerie d'Ottawa, 1920, 321 p.

— Lesage (Germain), *Histoire de Louiseville 1665-1960,* Louiseville, Presbytère de Louiseville, 1961, 450 p.

— Morisset, (Gérard), *Philippe Liébert,* Québec, (Charrier et Dugal), 1943, 30 p.

— Noppen (Luc) et Porter (John R.), *Les églises de Charlesbourg et l'architecture religieuse du Québec,* Québec, Ministère des Affaires culturelles, 1972, 132 p. (Collection «Civilisation du Québec»: 9)

— Otis (Reine), *La dorure chez les Ursulines de la Nouvelle-France* (mémoire présenté au département d'ethnographie traditionnelle de l'université Laval), 1969, 56 p.

— Paradis (Alexandre), *Kamouraska 1674-1948,* Québec, (L'Action Catholique), 1948, vii-xii-394 p.

— Roy (Christian), *Histoire de l'Assomption,* (L'Assomption), La commission des fêtes du 250e, (1967), 540 p.

— Traquair (Ramsay), *The Old Architecture of Quebec,* Toronto, Macmillan, 1947, 324 p.

— Trudel (Jean), *Un chef-d'oeuvre de l'art ancien du Québec. La chapelle des Ursulines,* Québec, Presses de l'université Laval, 1972, 115 p.

— Trudel (Jean), *Sculpture traditionnelle du Québec,* (Québec), Ministère des Affaires culturelles, Musée du Québec, 1967, 168 p.

6. *Études (articles)*

— Barbeau (Marius), «Les Le Vasseur, maîtres menuisiers, sculpteurs et statuaires (Québec, circa 1648-1818)» dans *Les Archives de folklore,* (publ. de l'université Laval), vol. 3, Fides, 1948, pp. 35 à 50.

— Charland (Rév. P.P.-V.), «Les ruines de Notre-Dame. L'ancien intérieur» dans *Le Terroir,* novembre 1924, pp. 153 à 162.

INTRODUCTION

«Dans les mains de l'infortuné Midas, tout ce qu'il touchoit se changeoit en or; dans celles du Doreur habile, l'or devient tout ce qu'il veut.»

Jean-Félix Watin
1793

La dorure est l'art d'appliquer de l'or en feuilles minces ou en poudre sur le bois, le métal, la pierre, le plâtre, le cuir, le papier et ainsi de suite. Pour ce faire, il existe plusieurs procédés dépendant directement de la nature de l'objet que l'on veut dorer.

Au Québec, c'est la dorure sur bois qui a connu la plus grande extension[1]. Si de nos jours son application se limite surtout aux cadres de tableaux et de miroirs, il n'en demeure pas moins qu'elle a été utilisée à grande échelle dans le décor de nos églises depuis la fin du XVIIe siècle jusque dans les premières décennies du XXe siècle. C'est ainsi que l'on a doré un grand nombre de retables, de tabernacles, de chandeliers, de crucifix, de statues, de reliquaires, de lampes de sanctuaire, de chaires, de bancs d'oeuvre et de cadres.

1) Anonyme, Console provenant de l'Hôpital-Général de Québec, bois doré, (h. 17½ po. × l. 25¼ po.), XVIIIe siècle, Galerie nationale du Canada, Ottawa (# 9507).

---

[1] Concurremment avec la dorure sur plâtre à partir de la fin du XIXe siècle.

Dans son acceptation générale, le terme de dorure recouvre à la fois la dorure proprement dite (application de feuilles d'or) et l'argenture (application de feuilles d'argent). Les procédés de la dorure et de l'argenture sont presque les mêmes. Toutefois, bien qu'il ait souvent été utilisé concurremment avec l'or, l'argent a connu un usage plus restreint que celui-ci.

Quoi qu'on en pense, la dorure n'avait rien de négligeable. Il faut se rappeler qu'elle coûtait parfois plus cher que la sculpture elle-même[2]. Par rapport au résultat final, le travail du doreur était d'ailleurs aussi important que celui du sculpteur: une dorure malhabile risquait d'atténuer les qualités de détail d'une sculpture; par contre, le doreur compétent pouvait apporter un heureux complément à la sculpture notamment par l'incision de motifs décoratifs dans les couches de blanc précédant la couche d'or (ill. 1 et 2). Par surcroît, certains procédés de dorure demeurés longtemps en vigueur comportaient plusieurs étapes exigeant précision et habileté du début à la fin. L'application des feuilles d'or n'était pas, à elle seule, une tâche facile quand on songe à leur extrême ténuité[3].

Pour bien mesurer l'importance du travail de dorure sur bois, il importe de prendre connaissance des divers procédés du doreur. Au Québec, on a surtout pratiqué la dorure en détrempe et la dorure à l'huile, tout en laissant une certaine

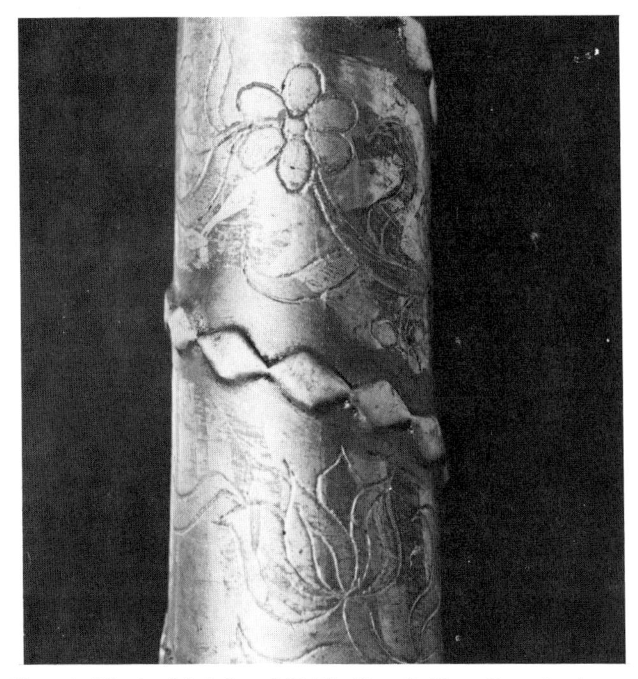

2) Soeur Saint-François d'Assise (Marie Joseph Hallé), Chapelle Notre-Dame des Anges, détail: section de la colonne centrale du côté droit, bois doré et argenté, 1788, Hôpital-Général de Québec.

---

[2] Voir, par exemple, Luc Noppen et John R. Porter, *Les églises de Charlesbourg...*: 27

[3] Plus épaisses, les feuilles d'argent se manipulaient plus facilement.

place à la dorure avec de la poudre métallique. Pour ce faire, on utilisait plusieurs matières et instruments.

Héritage de France, la dorure fut d'abord pratiquée par les ursulines de Québec à partir de la fin du XVIIe siècle. Au cours du siècle suivant, elles consentirent à livrer le secret de la dorure à d'autres communautés de religieuses et particulièrement aux augustines de l'Hôpital-Général de Québec qui devaient à leur tour former un atelier des plus florissants. Parallèlement, des laïcs, travaillant seuls ou en groupe, pratiquèrent l'art de la dorure. Toutefois leur rôle ne devait vraiment gagner en importance qu'à la fin du XVIIIe siècle. Dès lors, leur concurrence alla s'accentuant et ce, même si leurs procédés étaient parfois plus sommaires que ceux appliqués dans les communautés religieuses. À la fin du XIXe siècle, ils se multiplient alors que s'éteignent les derniers ateliers communautaires. Mais dès cette époque, la dorure est devenue assez marginale, se limitant de plus en plus aux cadres et ne constituant plus qu'une des nombreuses spécialités de l'artisan.

De tous les ateliers de dorure, celui de l'Hôpital-Général de Québec fut sans contredit l'un des deux plus importants, avec celui des ursulines de Québec. Il fut en activité de 1753 à 1871 connaissant une prospérité inégalée à la fin du XVIIIe siècle et au début du XIXe siècle. Il a connu une grande extension géographique et des centaines d'objets dorés ou argentés en sont sortis. L'étude détaillée des activités de cet atelier permettra d'en mieux percevoir les mécanismes économiques et socioculturels.

Chapitre I: La dorure, ses procédés et sa terminologie

A. LES PROCÉDÉS DE LA DORURE

Les procédés de dorure sont aussi nombreux que complexes. Souvent considérés comme des secrets, ils ont connu de nombreuses variantes[1]. Néanmoins, il est possible d'en tracer les grandes lignes.

La dorure en détrempe (ou à la colle) et la dorure à l'huile sont les deux principaux procédés à avoir été mis en pratique et ce, tant en Europe qu'au Québec. La dorure en détrempe se prête à de moins nombreux usages que la dorure à l'huile. Plus belle, elle exige plus de patience et plus d'habileté. Fragile, elle est limitée aux ouvrages d'intérieur. Plus résistante, la dorure à l'huile ne craint pas l'humidité; on peut la laver fréquemment sans crainte de l'endommager. Elle est toutefois assez uniforme si on la compare aux riches effets (ombres, reflets et nuances) de la dorure en détrempe. Il n'y a donc rien d'étonnant à ce qu'elle coûte moins cher que celle-ci[2].

Un extrait des *Actes capitulaires* de l'Hôtel-Dieu de Québec datant de 1832 nous fournit un exemple de cette distinction de qualité et de coût:

> «Le deuxième jour du mois de novembre mil huit cent trente deux Notre Révérende Mère M. Magdeleine Vocelle de St Pierre Supérieure de ce Monastère assembla Capitulairement notre communauté (ayant auparavant pris l'avis des Discrettes). Elle nous représenta qu'après les réparations faites à notre Eglise, il étoit necessaire d'avoir un Tabernacle convenable pour le grand Autel, et nous présenta trois plans de differens prix; après les avoir considérés d'un consentement unanime les vocales ont fait choix de celui qui avoit un dôme comme étant le plus beau, et qui coûtera pour la sculpture £ 75 ayant demandé quelques petits ornements qui n'étoient pas sur le plan, il en coutera au moins autant pour le faire dorer désirant que ce soit à la colle [dorure en détrempe]. Ensuite Notre R.de Mère nous dit que, quelques personnes nous conseilloit de faire ajouter dans notre Eglise ce qui suit. 1.er des fleurons pour recevoir les Lustres ou branches que l'on met sous les tableaux des Apotres dorer à l'huile. 2.em Faire dorer les moulures des lambris du Sanctuaire et mettre de petits ornements sur les panneaux. 3.em des fleurs de lis neufs et une nouvelle Inscription pour le Grand Crucifix du Sanctuaire qui est sur le vitreau donnant sur les Salles, le tout dorer, et au prix demandé par M.r Baillairgé dont la lettre adressée à Notre R.de Mère doit rester au dépôt. Ce qui a été accepté des Vocales et signé d'elles, (...)»[3]

---

[1] Voir, par exemple, le traité de Jean Félix Watin intitulé *L'art du peintre, doreur, vernisseur...*: 137-198. Un exemplaire de la quatrième édition (1793) est conservé à la bibliothèque de la Galerie nationale du Canada, à Ottawa.

[2] *Ibid.*: 141-142

[3] AHDQ, *Actes capitulaires (17 juillet 1700 — 25 décembre 1922)*: 78 (fol. A)

La dorure en détrempe (ou à la colle) est ainsi appelée parce que toutes ses principales opérations se font avec de l'eau et de la colle. Elle comporte dix-sept opérations. Nous ne saurions les décrire sans respecter le vocabulaire particulier des doreurs et ce, d'autant plus que ce vocabulaire n'a guère varié d'une époque à l'autre[4]. Ces opérations consistent à «encoller, blanchir, reboucher et peau-de-chienner, adoucir et poncer, réparer, dégraisser, prêler, jaunir, égrener, coucher d'assiette, frotter, dorer, brunir, mater, ramender, vermeillonner et repasser» (ill.3).

1. «Encoller»: cette première opération consiste à enduire de *colle*[5] l'objet que l'on veut dorer, en se servant d'une petite *brosse* en poil de sanglier. Ceci permet de dégraisser le bois, de le préserver de la piqûre des insectes, et de le préparer à recevoir les apprêts. Pour la dorure sur bois, un seul encollage suffit alors que pour la dorure sur plâtre, il en faut deux.

2. «Blanchir» ou «apprêter le blanc»: c'est donner une couche très chaude de forte *colle de parchemin,* dans laquelle on a ajouté du *blanc* pulvérisé et tamisé. On donne de sept à dix couches de *blanc* selon l'état de l'objet à dorer. On ne donne une nouvelle couche que lorsque la précédente est bien durcie.

3. «Reboucher» et «peau-de-chienner»: on bouche les trous et les autres défectuosités qui peuvent se trouver dans le bois avec un mastic composé de *blanc* et de *colle*; puis on enlève les irrégularités externes du bois avec une peau de *chien de mer*.

4. «Poncer» et «adoucir»: il s'agit d'humecter les couches de *blanc* avec de l'eau fraîche tout en les frottant légèrement avec une pierre ponce douce; de plus, on taille de petits bâtons minces pour vider et dégorger les moulures. Ce ponçage rend les surfaces lisses et douces au toucher. On lave au fur et à mesure qu'on adoucit, à l'aide d'une *brosse* souple. On enlève l'eau avec une petite éponge fine; enfin, on passe une toile un peu rude sur l'objet pour le nettoyer.

5. «Réparer»: l'ouvrage étant sec, on se sert de *fers* tournés en crochets de différentes formes pour dégorger les moulures. Ceci permet de rendre à la sculpture sa beauté première.

6. «Dégraisser»: l'opération précédente étant assez longue, on se trouve, en l'exécutant, à ternir et à graisser le *blanc.* On dégraisse le *blanc* en passant un linge mouillé sur les parties qui doivent rester mates et on passe une *brosse* dure mouillée sur les sections réparées. Puis on lave le tout avec une éponge fine.

7. «Prêler»: quand l'objet est bien sec, on le frotte avec de la *prêle* pour adoucir et lisser les parties unies. On doit exécuter cette opération avec soin de manière à ne pas user le *blanc*.

8. «Jaunir»: on passe une teinture jaune (ou *peinture jaune*) chaude sur l'objet; ce faisant, il ne faut pas frotter trop longtemps pour éviter de détremper le *blanc* et pour ne pas altérer la finesse de la sculpture. Cette peinture sert à remplir les fonds où quelquefois l'*or* ne peut pénétrer.

[4] Voir Watin, *op. cit.:* 170-179 et Ernest Bosc, *Dictionnaire raisonné d'architecture et des sciences et des arts qui s'y rattachent,* vol. II: 57-59

[5] Les mots composés en *italique* sont expliqués dans les dernières parties de ce chapitre.

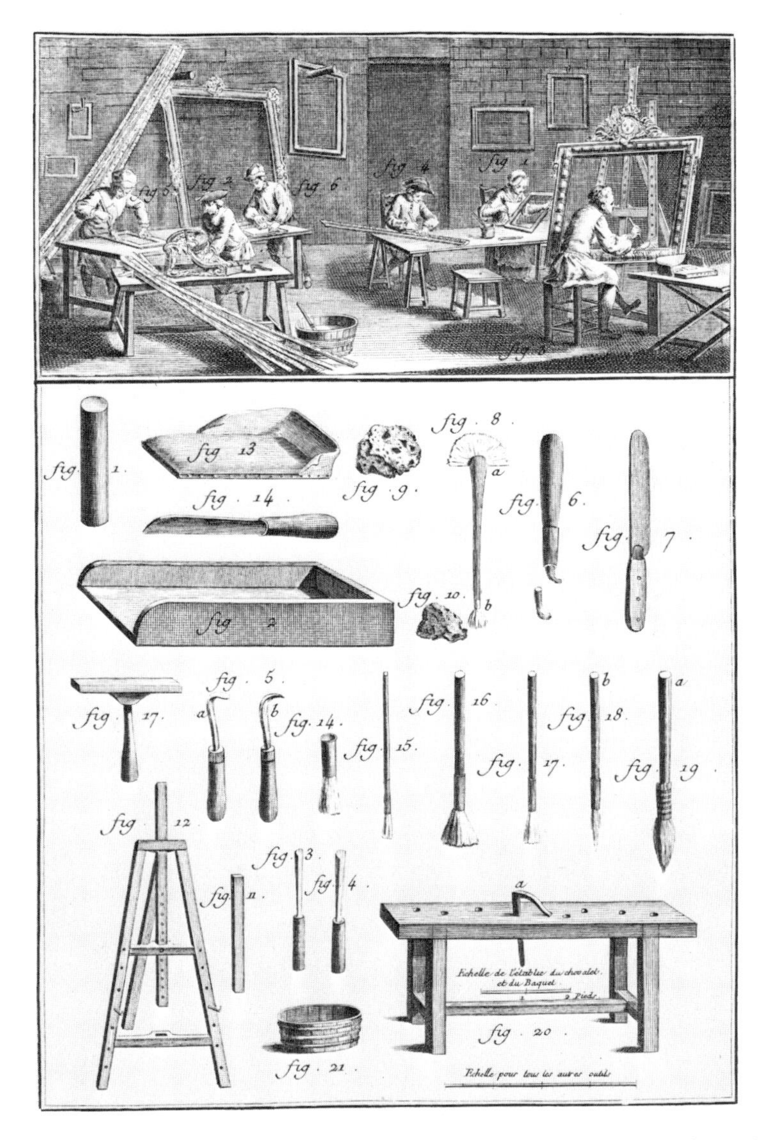

3) Planche tirée de l'Encyclopédie de Diderot (II, 3): «Recueil de planches, sur les sciences, les arts libéraux et les arts méchaniques avec leur explication»; voir la section intitulée «doreur», pl. IV: «doreur sur bois».
Haut de la planche (fig. A): 1. Ouvrier qui vermillonne. 2. Ouvrier qui répare. 3. Ouvrier qui dore au chevalet. 4. Ouvrier qui adoucit. 5. Ouvrier qui blanchit. 6. Ouvrier qui ponce.
Bas de la planche (fig. B): 1. Rouleau à écraser le blanc. 2. Planche à écraser le blanc. 3. Gouge à réparer. 4. Autre gouge à réparer. 5. Crochets ou fers à réparer. a, fer demi-rond. b, fer pointu. 6. Sanguine. 7. Couteau à l'or. 8. Palette avec pinceau. a, la palette. b. le pinceau. 9. Pierre-Ponce. 10. Éponge. 11. Banc du chevalet. 12. Le chevalet. 13. Coussinet. 14. Autre couteau à couper l'or. 15. Pinceau à sabler. 16. Brosse à blanchir. 17. Petite brosse à blanchir. 18. & 19. Pinceaux à vermillon. a, le grand. b, le petit. 20. Établi. a, le valet. 21. Baquet au blanc.

9. «Égrener»: cette opération consiste à enlever les grains qui pourraient se trouver sur l'ouvrage apprêté pour recevoir la dorure. On égrène soigneusement avec de la *prêle*.
10. «Coucher d'assiette» (ou couvrir d'*assiette*): après avoir détrempé l'*assiette*, on en donne trois couches sur l'ouvrage à dorer tout en évitant d'engorger les fonds.
11. «Frotter»: les couches d'*assiette* étant bien sèches, il faut frotter avec un linge neuf et sec les parties unies qui doivent rester mates; celles qui, au contraire, sont destinées à être brunies (polies) reçoivent deux autres couches d'*assiette* détrempées à la *colle*.
12. «Dorer»: on vide le livret d'*or* sur le *coussin;* on mouille les parties à dorer avec des *pinceaux* de différentes grosseurs. Une fois que la feuille d'*or* a été soulevée et posée, on fait passer l'eau derrière cette feuille à l'aide d'un *pinceau;* il faut éviter qu'il en passe par-dessus, ce qui tacherait l'*or*. L'eau étend la feuille; le doreur souffle alors également dessus et enlève l'excédent d'eau avec le bout du *pinceau*.
13. «Brunir» (ou polir): pour opérer le brunissage, on se sert du *brunissoir*. C'est avec cet outil qu'on polit et qu'on lisse l'*or,* tout en ayant soin de ne pas l'user.
14. «Mater»: pour préserver l'*or* qui ne doit pas être poli et l'empêcher de s'écorcher, on lui donne une couche de *colle* légère. C'est ce qu'on appelle «mater».
15. «Ramender»: il s'agit de mettre, avec le *pinceau à ramender,* de petits morceaux d'*or* dans les fonds oubliés, dans les manques et dans les parties trop usées ou détériorées par le *pinceau* à la *colle.* Quand cette opération est terminée, on met de la *colle* légère à chaque endroit.
16. «Vermeillonner»: on donne une couche de *vermeil* sur l'objet, ce qui a pour but de donner à l'*or* du reflet et un ton chaud tirant sur le rouge.
17. «Repasser»: cette dernière opération consiste à donner une couche de *colle* à «mater» (plus chaude que la précédente) sur toutes les sections mates[6].

Le procédé de dorure[7] en détrempe est le plus complexe, le plus exigeant et le plus coûteux qui soit. La dorure à l'huile est plus expéditive. Elle a reçu ce nom parce que l'huile est le liquide essentiel utilisé dans ce procédé.

La dorure à l'huile se limite pratiquement à quatre ou cinq opérations. On couvre d'abord le bois de quelques couches de *blanc de céruse* détrempé à l'*huile*. Quand la surface est sèche, on y applique de l'*or-couleur* avec des *brosses* très douces. Lorsque l'*or-couleur* est suffisamment sec pour recevoir l'*or,* on l'y pose et on passe par-dessus un gros *pinceau* de poil très doux. Finalement, on procède au ramendage. Selon l'usage de l'objet doré, on peut en couvrir la surface d'un vernis[8].

---

[6] Watin, *op. cit.:* 170-179 et Bosc, *op. cit.*, vol. II: 57-79

[7] Le procédé de l'argenture ne diffère guère du procédé de dorure en détrempe: dans la huitième opération, la teinture jaune est remplacée par du *blanc de plomb* détrempé à la *colle;* les deux mêmes matières entrent dans la composition de l'*assiette,* celle-ci différant de l'*assiette* servant à la dorure; enfin de l'*argent* moulu détrempé dans de la *colle* remplace l'*or* dans la quinzième opération. Voir Watin, *op. cit.:* 184-185

[8] *Ibid.:* 186-187 et Bosc, *op. cit.*, vol. II: 59

Parallèlement à la dorure en détrempe et à la dorure à l'huile, il existe un autre procédé beaucoup plus sommaire et aux nombreuses variantes. Il s'agit de la dorure avec de la *poudre d'or*[9]. Ce procédé ne donne pas de très beaux résultats. Réduites en *poudre,* les feuilles d'*or* sont d'abord broyées avec du miel. On dépose l'*or* dans de l'eau, on le remue et on remplace l'eau jusqu'à ce qu'elle demeure claire. Puis on laisse tremper l'*or* dans de l'acide nitrique pendant deux jours. Une fois retirée, la *poudre d'or* est déposée dans un moule appelé *coquille* (d'où l'appellation *or en coquille*). Quand on veut appliquer cet *or,* on le détrempe dans de l'eau savonneuse à laquelle on ajoute de la *gomme.* On peut également en saupoudrer sur un *mordant,* le laisser sécher et enlever le surplus avec un pinceau sec.

B. LES PROCÉDÉS DE LA DORURE AU QUÉBEC

Les procédés que nous venons de décrire furent tous utilisés au Québec. Les doreurs et doreuses avaient d'ailleurs en main un certain nombre de procédés imprimés et manuscrits. On se transmettait ceux-ci oralement et par écrit, que ce soit d'une communauté à l'autre ou encore de maître à apprenti. L'apprentissage de la dorure comportait forcément des démonstrations pratiques car, en dorure, il y a loin de la théorie à la pratique[10].

Les ursulines de Québec conservent toujours quatre exemplaires d'un traité dans lequel un certain nombre de pages sont consacrées à la dorure. Il s'agit du *Traité de mignature pour apprendre aisément à Peindre sans Maistre avec le secret de faire les plus belles Couleurs, l'Or bruny, & l'Or en Coquille.* L'un date de 1678 (ill. 4) et les trois autres de 1696. À l'Hôpital-Général de Québec, on possède une réédition partiellement modifiée de ce même traité. La section relative à la dorure y est identique à celle qui apparaît dans le traité des ursulines. Parmi les ouvrages consacrés à la dorure, ce dernier est le plus ancien que l'on connaisse au Québec. Il présente donc beaucoup d'intérêt. Toutefois il est fort possible que les religieuses aient eu en main des traités beaucoup plus complets et concernant strictement la dorure[11]. Cette hypothèse semble très vraisemblable pour peu que l'on prenne en considération les matières et instruments dont firent usage les anciennes doreuses. En effet, la terminologie de ces matières et instruments déborde largement le vocabulaire que l'on retrouve dans le traité des ursulines. Dans les huit pages que ce traité consacre à la dorure, on décrit très succinctement les trois procédés dont nous parlions plus haut. Nous les citerons en entier en les commentant brièvement, section par section.

---

[9] Il en va de même pour l'argenture avec de la poudre d'argent.

[10] Voir le deuxième chapitre

[11] Le traité de Watin pourrait bien être un de ces traités.

TRAITE'
DE
MIGNATURE,
POUR APPRENDRE
aiſément à Peindre
ſans Maiſtre.
*ET LE SECRET
de faire les plus belles Couleurs.
l'Or Bruny, & l'Or en Coquille.*
TROISIESME EDITION.
Reveuë, corrigée & augmentée.
A PARIS,
Chez CHRISTOPHE BALLARD, ſeul
Imprimeur du Roy pour la Muſique,
ruë ſaint Jean de Beauvais.
au Mont Parnaſſe.
M. DC. LXXVIII.
Avec Privilege du Roy.

4) Frontispice du *Traité de mignature* (3e édition, 1678) conservé au monastère des ursulines de Québec.

«**Mémoire**

Pour faire un tres-bel Or bruny.

Il faut que le bois des Bordures: ou autres Piéces qu'on veut dorer, soit extrémement uny, & afin de le polir encore d'avantage, passez l'oreille de chien de mer par tout. Ensuite il faut l'Encoller deux ou trois fois, de Colle faite de Rogneure de Gands blancs, & mettre neuf ou dix Couches de Blanc; quand il sera bien sec, passez la presse dessus, afin qu'il soit plus doux, aprés vous ferez tiédir sur le feu un peu de Colle avec de l'Eau, dans laquelle il faut tremper un Linge fort delié, que vous épurerez, & le passeroz encore sur le Blanc; Ensuite il faut appliquer deux ou trois Couches d'Or-couleur & davantage s'il n'a pas assez de Couleur, Lors qu'ils sera bien sec, vous passerez dessus un Linge sec fortement, jusques à ce qu'il soit luisant, & vous aurez de l'Eau de vie de la plus forte qui se pourra trouver, puis vous passerez sur l'Or-couleur un gros Pinceau trempé dans l'Eau de vie, mais il faut que vostre Or en feüille soit couppé tout prest sur le Coussinet, afin de l'appliquer aussi-tost que vous aurez passé le pinceau, & quand il sera sec, vous le polirez avec la Dent de Chien.»[12]

Ce procédé illustre les principales étapes de la dorure à l'huile comme le confirme l'emploi d'*or-couleur*. L'appellation d'«Or bruny» fait référence à la dernière étape du procédé, alors qu'on polit l'ouvrage avec la «Dent de Chien», c'est-à-dire avec un *brunissoir*. Le procédé proprement dit est suivi de deux recettes, l'une pour faire de la *colle de gants*, l'autre pour faire du *blanc*. La *colle de gants* et le *blanc* étaient utilisés dans le procédé en question: nous en explicitons les composantes plus loin dans ce chapitre. La recette pour faire le *blanc* comprend en fait non seulement la manière de le fabriquer mais aussi le comment de son application sur l'ouvrage à dorer.

«**Pour faire la Colle de Gan.**

Prenez une livre de Rognûre de Gans, mettez-là tremper dans de l'eau quelque temps, puis faites-là boüillir dans un Chaudron avec douze pintes d'eau, & la laissez reduire à deux pintes; en suite il faut la passer par un Linge dans un pot de terre neuf. Pour voir si la Colle est assez forte, prenez garde lors qu'elle est congelée, si elle est ferme sous la main.»[13]

«**Pour faire le blanc.**

La Colle estant faite, prenez du Blanc de Craye, rappez-le avec un couteau, ou broyez-le sur le Marbre, faites fondre & chauffer vostre Colle fort chaude, tirez-là de dessus le Feu, & mettez-y du blanc suffisamment pour la rendre époisse comme de la boüillie, laissez-là infuser demy quart d'heure, & en suite remuez-là avec une Brosse de poil de Cochon.

---

[12] Anonyme, *Traité de mignature pour apprendre aisément à Peindre sans Maistre avec le secret de faire les plus belles Couleurs, l'Or bruny, & l'Or en Coquille:* 159-160

[13] *Ibid.:* 160

Prenez-de ce Blanc, & mettez-y encore de la Colle, afin de le rendre plus claire pour la premiere & seconde Couche, qu'il faut appliquer en battant du bout de la Brosse.

Observez de laisser bien seicher chaque Couche, avant d'en remette une autre, si c'est du Bois il en faut bien douze, & si c'est sur du Carton, six ou sept suffisent.

Cela fait prenez de l'eau, trempez-y une Brosse douce, égoutez-là entre vos mains, & frottez-en vostre Ouvrage pour le rendre plus uny, aussi-tost que vostre Brosse est pleine de Blanc, il faut la relaver, & mesme changer d'eau lors qu'elle est trop blanche.

L'on peut aussi se servir quelquesfois d'un petit Linge mouillé, comme de la Brosse.

Vostre Ouvrage estant bien uny, laissez-le seicher, & lors qu'il est sec, prenez de la Presle, où un morceau de toille neufve, & frottez pour le rendre doux.»[14]

La section suivante illustre le mode de fabrication de l'*assiette,* composition qui permet de dorer en détrempe (ou à la colle). L'auteur n'y décrit pas toutes les étapes précédant l'application de l'*assiette,* sous-entendant sans doute les étapes préliminaires décrites dans le procédé précédent. Toutefois, les sections suivantes précisent les dernières étapes de la dorure en détrempe; on y explique comment il faut appliquer et polir les feuilles d'or et d'argent. Les deux paragraphes suivants peuvent prêter à confusion. Celui qui s'intitule «Pour Matter l'Or» ne dit pas comment il faut «mater» l'or mais bien comment on fabrique le *vermeil* pour «vermeillonner». Quant à l'autre, qui s'intitule «Pour Matter l'Argent», il explique vraiment comment «mater» l'argent.

«**Pour faire l'Assiette de l'Or, & de l'Argent propre à Dorer d'une autre Maniere.**

Prenez un quarteron de Bol fin, bien choisi, qui happe à la Langue, & qui soit gras sous la main, mettez-le tremper dans de l'eau pour le faire dissoudre, puis le broyez, y ajoûtant gros comme une Aveline de Crayon de Pierre de Mine, & gros comme pois de Suif de chandelle que vous preparerez ainsi.

Faites-le fondre, puis jettez-le dans de l'Eau fraiche, & le maniez dedans pour vous en servir; la grosseur d'un pois suffit à chaque broyée.

En broyant, on peut jetter un peu d'Eau de Savon parmy le Bol. Cette Composition estant broyée, vous la mettrez dans de l'Eau claire, que vous changerez de temps en temps, pour la conserver.

Lors que vous voudrez vous en servir, détrempez-le avec de la Colle fonduë un peu tiede, & si elle est aussi forte que celle dont vous avez blanchy, vous y mettez le tiers d'eau, & vous la meslerez avec le Bol, que vous rendrez de l'époisseur de Créme douce, puis vous l'appliquerez avec un Pinceau sur vostre Ouvrage, en mettant trois ou quatre Couches que vous laisserez bien

[14] *Ibid.:* 161-162

seicher avant que d'en appliquer un autre: estant tout sec avant que de Dorer ou Argenter frottez un peu avec un Linge doux.

Quand on veut faire servir cette Assiette à l'Or, il y faut ajoûter un peu de Sanguine.»[15]

«**Pour appliquer l'Or & l'Argent.**

Mettez en égout la Piéce que vous voulez Dorer où Argenter, moüillez-en un endroit avec un gros Pinceau trempé dans de l'eau claire, puis appliquez vostre Or, que vous aurez coupé sur un Coussin de cuir, il faut le prendre avec du Cotton, ou une palette de petit Gris, tout estant Doré, laissez-le seicher, non pas au Soleil ny au Vent, estant suffisamment sec, Brunissez avec la Dent de Chien.

Pour voir s'il est sec éprouvez-en, passant la Dent en de petits endroits, si elle ne coulle pas aisément, & qu'il s'écorche, c'est une marque qu'il n'est pas sec.

D'ailleurs, prenez garde qu'il ne le soit pas trop, car il en donne plus de peine à brunir, & n'a pas tant d'éclat. Dans les grandes chaleurs, trois ou quatre heures suffisent pour le seicher; mais quelquesfois il faut bien un jour & une nuit.»[16]

«**Pour Matter l'Or.**

Faites un Vermeil avec de la Sanguine, un peu de Vermillon & du blanc d'Oeuf bien battu, broyez le tout ensemble sur le Marbre, & mettez-en dans les renfoncemens, avec un Pinceau fort delié.

Pour Matter l'Argent.

Prenez du Blanc de Ceruse, broyez-le à l'eau, puis detrempez-le avec de la Colle de Poisson ou de Gan fort claire, la premiere est la plus belle, on l'applique avec le Pinceau sur les endroits qu'on veut Matter.»[17]

La dernière section explique le mode de fabrication de l'or et de l'argent en coquille. Nous avons décrit plus haut les usages que l'on peut faire de la poudre d'or ou d'argent.

«**Pour faire l'or et l'Argent en Coquille.**

Jettez des Feüilles d'Or sur un Marbre bien net, selon la quantité que vous en voulez faire, & broyez-le avec du Miel sortant de la Ruche, ou pour jusques à ce qu'il soit extremément doux sous la Molette, ensuite mettez-le dans un Verre d'eau claire, Remuez-le, & changez d'eau jusques à ce qu'elle demeure claire. Il faut avoir pour un sol d'eau forte, verser vostre Or dedans, & l'y laisser tremper deux jours, puis on retire l'Or, & cette eau forte peut servir une autre fois, c'est de mesme pour l'Argent.

---

[15] *Ibid.:* 162-163

[16] *Ibid.:* 164

[17] *Ibid.:* 165

Quand on veut appliquer l'un & l'autre, il faut les détremper avec une ou deux gouttes d'eau un peu Gommée, & pour le lisser mieux, que ce soit de l'eau de Savon. Il est bon aussi de mettre sous l'Or un lavis de Pierre de Fiel, il en paroist plus beau.

Il ne faut mettre de l'Or & de l'Argent dans les Mignatures, que le moins qu'il se peut, excepté des Filets tout autour parce que cela sent l'Image de la balle.»[18]

Les procédés contenus dans le traité des ursulines (et celui de l'Hôpital-Général de Québec) ne sont pas les seuls que nous connaissions au Québec. Nous en avons retrouvé d'autres plus tardifs, qui sont tous manuscrits. À l'Hôtel-Dieu de Québec, on conserve un certain nombre de procédés et de recettes se rapportant tantôt à la dorure à l'huile tantôt à l'or et à l'argent en coquille. À l'Hôpital-Général de Québec, on ne possède que deux courts procédés relatifs à la dorure avec de l'or en poudre et à l'argenture à l'huile[19].

C. LES MATIÈRES UTILISÉES POUR LA DORURE AU QUÉBEC

Les anciens ateliers de dorure firent usage d'un grand nombre de matières pour mener à bien leurs travaux de dorure et d'argenture. Nous en avons fait un relevé à travers les différents documents que nous avons consultés[20]. Toutes les matières qui suivent ont été utilisées autrefois dans les ateliers de dorure du Québec et en particulier à l'Hôpital-Général de Québec et au Monastère des ursulines de Québec. Seuls l'*or-couleur* et le *suif* n'ont pas été retracés dans les archives relativement à la dorure. Ils apparaissent toutefois dans le traité des ursulines. Nous avons cherché à définir les matières qui suivent de façon aussi simple et aussi précise que possible[21].

Argent: réduit en feuilles minces par battage, ce métal a été employé dans la décoration concurremment avec l'*or,* mais d'une manière moins fréquente. L'opération qui consiste à appliquer des feuilles d'argent sur un objet prend le nom d'argenture et ne diffère pratiquement pas de la dorure proprement dite. Les feuilles d'argent sont plus lourdes que les feuilles d'or[22].

Argent en coquille: feuilles d'argent broyées et réduites en poudre.

Assiette: on désigne par ce mot une substance rouge et ocreuse. Elle se compose de *bol,* de *sanguine,* de mine de plomb (appellation usuelle de la plombagine, graphite ou carbone naturel) et d'un peu de *suif.* Ces matières sont broyées ensemble et incorporées à de la *colle* chaude. On étend trois couches de cette substance sur la surface à dorer. Les feuilles d'or sont posées sur l'assiette[23].

---

[18] *Ibid.:* 165-166

[19] Voir les deux chapitres suivants

[20] Voir les deux chapitres suivants de même que le mémoire de Reine Otis, *La dorure chez les Ursulines de la Nouvelle-France:* 19-20

[21] Les mots en *italique* sont expliqués soit dans ce lexique des matières utilisées pour la dorure au Québec, soit dans le suivant, qui est consacré aux instruments.

[22] Bosc, *op. cit.,* vol. I: 149

[23] *Ibid.:* vol. I, 160; Watin, *op. cit.:* 168 et Denis Diderot, *Encyclopédie* (I, 5): 58

Blanc: couleur que l'on tire d'un grand nombre de substances, les unes terreuses, les autres à base métallique. En dorure, on se sert du blanc après que la surface à dorer ait été recouverte de *colle*. On le mélange à une *colle de parchemin* forte et très chaude; on donne jusqu'à dix couches de blanc sur l'objet. Le blanc donne du reflet à l'*or*. Au Québec, les anciens ateliers de dorure utilisaient du *blanc d'Espagne,* du *blanc de plomb* et du *blanc de céruse*. Le *blanc d'Espagne* est une argile très fine qui se mélange bien à l'eau. Le *blanc de plomb* est du carbonate de plomb, une matière assez cassante qu'il faut broyer à plusieurs reprises dans de l'eau claire. On l'utilise de préférence au *blanc d'Espagne* pour l'argenture. Il sert également pour la dorure à l'huile. Quant au *blanc de céruse,* c'est une variété de *blanc de plomb* qui a plus de corps; il peut entrer dans la composition de l'*or-couleur*. Comme les blancs sont sujets à se colorer avec le temps, on peut éviter cet inconvénient en leur ajoutant un peu de *bleu de Prusse* ou de *noir de fumée*[24].

Bleu de Prusse: on ajoute une petite quantité de cette couleur au *blanc* pour empêcher ce dernier de se colorer avec le temps. Si l'on ajoute au *blanc de céruse* du bleu de Prusse et du stil de grain (couleur d'un jaune serin composée de graine d'Avignon, d'une solution d'alun et de craie), l'*or* prendra une tonalité verte [25].

Bol: terre argileuse de couleur jaune ou rouge, douce au toucher et qui entre dans la composition de l'*assiette*[26].

Colle: on utilise de la colle à différentes étapes de la dorure. Les anciens ateliers de dorure du Québec se servaient de *colle de gants* (ou *colle de parchemin*) et de *colle de poisson*. La *colle de gants* est obtenue par la dissolution de *rognures* de peau dans de l'eau; faite avec des *rognures* de peau d'agneau et de peau de lapin, la *colle de parchemin* est plus grossière que la *colle de gants* proprement dite. La *colle de poisson* est une gélatine tirée de certains poissons, l'esturgeon en particulier[27].

Couperose: nom ancien de divers sulfates. Pour broyer certaines matières entre elles, on pouvait utiliser de l'*huile de lin* additionnée de couperose[28].

Crayon: on désignait autrefois par ce mot un bâtonnet de mine de plomb (ou plombagine). Cette matière entre dans la composition de l'*assiette*.

Cuir: voir *Rognures*.

Esprit de térébenthine: la térébenthine est un produit résineux liquide. Produit d'une distillation, l'esprit (ou essence) de térébenthine est un hydrocarbure utilisé pour dissoudre les corps gras et nettoyer les *brosses* et *pinceaux*. C'est également un

---

[24] Bosc, *op. cit.*, vol. I: 253; Watin, *op. cit.*: 168; Diderot, *op. cit.*: 58 et Louis Réau, *Dictionnaire illustré d'art et d'archéologie:* 93

[25] Bosc, *op. cit.*, vol. I: 253

[26] Watin, *op. cit.*: 166-167

[27] Bosc, *op. cit.*, vol. III: 430 et Jules Adeline, *Lexique des termes d'art:* 108

[28] Adeline, *op. cit.*: 242

siccatif que l'on utilise dans la fabrication de certains vernis utilisés comme mordants[29].

Esprit de vin: produit d'une distillation; alcool éthylique. On mélange de l'esprit de vin à de la *gomme-laque* pour fabriquer du vernis. Ce vernis est utilisé comme *mordant* pour exécuter un travail de dorure rapide[30].

Goldsize: terme anglais désignant une terre glaise très broyée et colorée. C'est une sorte d'*assiette*.

Gomme: substance visqueuse et transparente tirée de certains arbres. La gomme-résine est un produit végétal que l'on extrait par incision. Elle entre dans la composition du *vermeil* et de vernis. Au Québec, on utilisait plusieurs sortes de gommes dans les anciens ateliers de dorure: la *gomme d'Arabie* ou *gomme arabique* (tirée de l'acacia vera), la *gomme-gutte* (produite par le hebradendron cambgioides), la *gomme-laque* (provenant du laquier), la *gomme sandaraque* (résine extraite d'une espèce de thuya) et la *gomme de sapin*[31].

Huile de lin: huile de très bonne qualité qui durcit rapidement. On l'emploie pour broyer le *blanc* et pour faire le *mordant* pour dorer à l'huile.

Indigo: le 10 avril 1766, l'Hôpital-Général de Québec fit l'achat d'indigo pour son atelier de dorure. Cette matière tinctoriale bleue, extraite principalement de l'indigotier, n'est pas d'usage courant en dorure. Peut-être en a-t-on utilisé avec du lait de chaux et de la térébenthine pour fabriquer une sorte de *blanc* appelée «blanc des carmes»[32].

Laque: matière résineuse secrétée par un arbre appelé laquier. La *gomme-laque* entre dans la composition de certains vernis servant de *mordants* pour la dorure[33].

Litharge: oxyde de plomb entrant dans la composition de *mordants* pour dorer à l'huile. C'est un *siccatif*. La *litharge d'or* est d'une couleur jaune tirant sur le rouge. Elle peut entrer dans la composition de l'*or-couleur*[34].

Mordant: substance servant à fixer l'*or* ou l'*argent* sur différents objets. Il en existe plusieurs sortes. Celui qui sert à dorer à l'or mat (type de dorure à l'huile) se compose de bitume de Judée, d'huile grasse, de mine de plomb (plombagine) et d'essence (ou *esprit) de térébenthine*. On l'employe également pour l'application de l'*or en coquille*. Dans les deux cas, il permet un travail plus rapide. Certains vernis peuvent servir de mordant[35].

Noir de fumée: de tous les noirs, c'est le plus impur et le plus employé. Il provient de la combustion incomplète des résines ou des huiles. On peut ajouter du noir de fumée au *blanc* pour éviter qu'il ne se colore avec le temps[36].

---

[29] *Ibid.:* 389 et Bosc, *op. cit.,* vol. IV: 435

[30] Bosc, *op. cit.,* vol. II: 439

[31] *Ibid.:* vol. II: 439 et vol. IV: 197; Watin, *op. cit.:* 216

[32] Bosc, *op. cit.,* vol. I: 253

[33] Réau, *op. cit.:* 268

[34] Watin, *op. cit.:* 78

[35] *Ibid.:* 169 et Bosc, *op. cit.,* vol. III: 244

[36] Réau, *op. cit.:* 319

Ocre: substance terreuse de nature argileuse que l'on peut réduire en poudre fine *(ocre pulvérisé).* De différentes teintes, on l'utilise pour jaunir une surface lorsque l'on dore en détrempe. Les ursulines de Québec utilisaient de l'*ocre jaune* et de l'*ocre rouge*[37].

Or: métal brillant présentant différents tons. De tous les métaux, c'est le plus malléable. Par le battage, on réduit l'or en feuilles si minces qu'il n'en faut pas moins de mille pour faire une épaisseur d'un millimètre. De façon à pouvoir manier d'aussi légères feuilles d'or, on le vend dans de petits cahiers (ou livrets) de papier composés de vingt-six feuilles entre lesquelles sont placées vingt-cinq feuilles d'or. Quarante de ces cahiers (ou «quarterons d'or») constituent le *millier d'or* du commerce. Au point de vue décoratif, on appelle «or mat» l'or qui n'est pas «bruni», c'est-à-dire poli au moyen du *brunissoir*[38].

Or-couleur: mélange de consistance épaisse et gluante d'un ton d'or jaune rougeâtre. On le fabrique soit avec le résidu de diverses couleurs recuites et broyées, soit avec du *blanc de céruse,* de la *litharge,* de la *terre d'ombre* et de l'huile grasse. Dans la dorure à l'huile, l'or-couleur est employé comme fond pour appliquer l'or en feuille. Il sert de *mordant*[39].

Or en coquille: feuilles d'or broyées et réduites en *poudre.* Parfois on utilise du cuivre (ou du bronze) à la place de l'*or*[40].

Parchemin: on donne ce nom aux *rognures* de peaux d'agneau et de lapin qu'on emploie pour faire la *colle* dite «de peau» ou «de parchemin».

Peinture jaune: voir *Ocre.*

Poudre: voir *Argent en coquille* et *Or en coquille.*

Rognures de gants: ce sont des débris de peaux (ou *cuirs*) de mouton, d'agneau, de veau et de *parchemin,* qui servent à faire de la *colle de gants* (ou *gan, gands* et *gans*)[41].

Safran: matière colorante jaune qui est extraite des pistils de la fleur du safran. Le *safran oriental* ou *safran d'Orient* est une petite racine dure et jaune. Il entre dans la composition du *vermeil*[42].

Salpêtre: mélange naturel de nitrates qui peut être utilisé dans la préparation de l'*or en coquille.*

Sanguine: terre rouge ferrugineuse qui entre dans la composition de l'*assiette*[43].

Sel ammoniac: ancien nom du chlorure d'ammonium. Autrefois, on l'utilisait parfois dans la préparation de l'*or en coquille.*

---

[37] Bosc, *op. cit.,* vol. III: 307

[38] *Ibid.,* vol. III: 336-337

[39] *Ibid.,* vol. II: 59 et vol. III: 337

[40] *Ibid.,* vol. III: 337

[41] *Ibid.,* vol. IV: 140

[42] Réau, *op. cit.:* 412 et Watin, *op. cit.:* 25

[43] Adeline, *op. cit.:* 370

Siccatif: sous ce terme générique, on désigne des substances qu'on mêle aux huiles et aux couleurs pour les rendre siccatives, c'est-à-dire propres à sécher plus rapidement. La *litharge*, l'*esprit* (ou essence) *de térébenthine* et l'*huile de lin* recuite sont des siccatifs[44].

Suif: graisse animale fondue. On utilise du *suif de chandelle* dans la préparation de l'*assiette*.

Terre d'ombre: couleur brun rouge à peu près de même ton que la terre de Sienne. Elle peut entrer dans la composition de l'*or-couleur*.

Vermeil (ou «*vermillion*»): composition employée dans la dorure et qu'on applique sur l'*or* pour lui donner du reflet et un ton chaud tirant sur le rouge. Cette substance se compose de rocou (ou roucou, colorant d'un beau rouge orangé qu'on extrait des graines du rocouyer), de *gomme-gutte,* de sang-de-dragon (résine d'un rouge foncé, principalement fournie par le dragonnier), de vermillon (couleur d'un rouge vif) ou de *safran* et de cendre[45].

Vert-de-gris: acétate de cuivre entrant dans la composition d'un vernis utilisé pour la dorure et l'argenture avec de l'*or* ou de l'*argent en coquille*[46].

D. LES INSTRUMENTS UTILISÉS POUR LA DORURE AU QUÉBEC

La mise en application des procédés de la dorure requiert un certain nombre d'instruments. Comme dans le cas des matières, nous avons cherché à établir un lexique de tous ceux dont firent usage les anciens ateliers de dorure du Québec[47]. On conserve un certain nombre de ces instruments au monastère des ursulines de Québec (ill. 6, 7, 8 et 10)[48].

Baquet: grand cuvier circulaire en bois et à bords bas, dont on se sert pour préparer le *blanc* destiné à la dorure (ill. 3, fig. B-21)[49].

Bilboquet: instrument servant à soulever les feuilles d'or coupées au *couteau* sur le *coussin*. Il est en bois et plat en dessous. Sur cette surface unie est rattaché un morceau d'étoffe. On l'utilise parfois pour dorer des surfaces droites où il permet un travail plus rapide que la *palette* (ill. 5)[50].

---

[44] Bosc, *op. cit.*, vol. IV: 224

[45] *Ibid.*, vol. IV: 433 et Watin, *op. cit.*: 168

[46] Adeline, *op. cit.*: 413

[47] Voir les deux chapitres suivants. Apporter une attention particulière à l'inventaire (1743) de l'atelier de dorure des soeurs de la Congrégation Notre-Dame de Montréal, dans le deuxième chapitre, et à la *Fig. 5* du troisième chapitre. Tous les instruments apparaissant dans le lexique furent utilisés au Québec à l'exception peut-être du *chien de mer* et de la *prêle,* lesquels sont néanmoins mentionnés dans le traité des ursulines de Québec. Les mots en *italique* sont expliqués soit dans le présent lexique, soit dans le précédent, qui est consacré aux matières.

[48] En plus des instruments anciens, les ursulines en possèdent plusieurs autres qui sont plus ou moins récents. L'ensemble donne une bonne idée de l'éventail des outils du doreur.

[49] Réau, *op. cit.*: 44

[50] Diderot, *op. cit.*: 58; Watin, *op. cit.*: 165 et Bosc, *op. cit.*, vol. I: 250

Brosse: pinceau fait avec des poils fermes, gros et assez durs fortement liés autour d'un manche. La brosse se distingue du *pinceau* proprement dit du fait qu'elle ne se termine pas en pointe. En dorure, on utilise divers types de brosses. Certaines sont faites avec des soies (ou poils) de porc; on s'en sert pour fabriquer et pour étendre le *blanc*. D'autres, plus douces, servent à égaliser les surfaces à dorer après l'application des couches de *blanc* (ill. 3, fig. B-16 et B-17; et ill. 6)[51].

Brunissoir: outil servant à brunir, c'est-à-dire à rendre brillantes certaines parties de dorures, au milieu d'autres qu'on laisse mates. Les brunissoirs qu'utilisent les doreurs sont en silex, en agate ou en sanguine (hématite), et ils ont plusieurs formes. Certains brunissoirs sont affûtés en «dent-de-loup» ou «en jambon». On donne le dernier bruni avec le brunissoir à la sanguine (ill. 3, fig. B-6; et ill. 7)[52].

Carde: instrument servant à carder et ayant un rapport indirect avec la dorure. Le 23 juin 1787, l'Hôpital-Général de Québec paya 6 # «pour une paire de carde et une livre de cotton pour la dorerie». Le *coton* cardé sert à rembourrer le *coussin*.

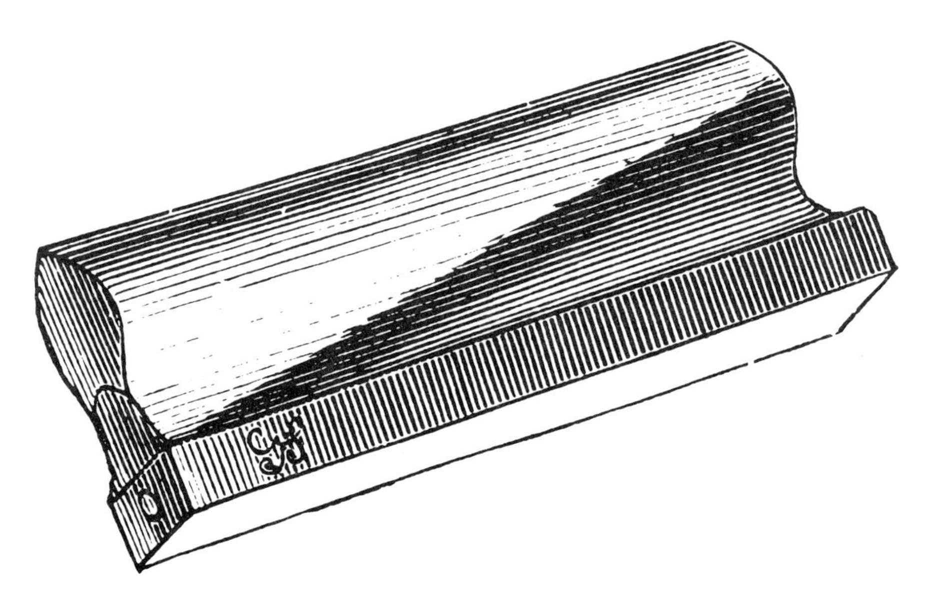

5) Bilboquet du doreur, illustration tirée du *Dictionnaire d'architecture* d'Ernest Bosc, vol. 1, p. 250.

---

[51] Réau, *op. cit.:* 70 et Adeline, *op. cit.:* 60

[52] Bosc, *op. cit.*, vol. I: 300

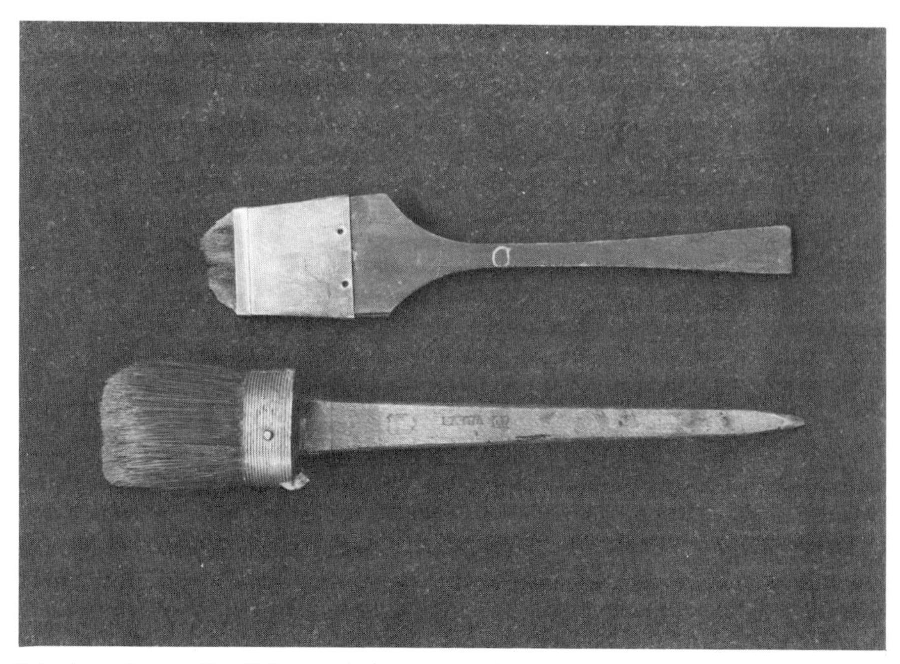

6) Anciennes brosses (2) utilisées pour la dorure, monastère des ursulines de Québec.

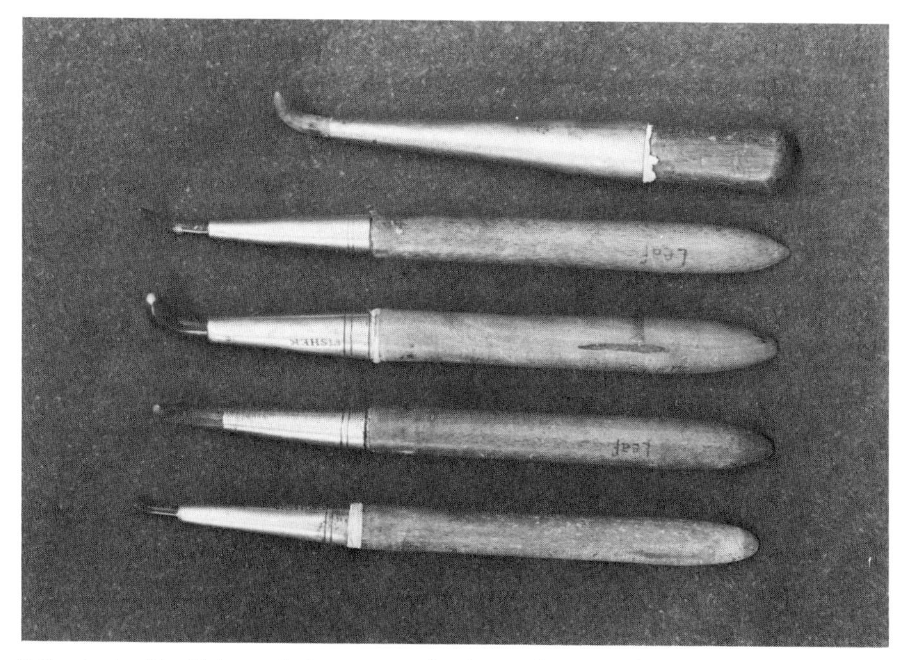

7) Brunissoirs (5) utilisés pour la dorure, monastère des ursulines de Québec.

Chien de mer: nom usuel de plusieurs genres de petits requins. On utilise de la peau de chien de mer pour polir une pièce de bois que l'on veut dorer et pour égaliser la surface de cette pièce après y avoir étendu du *blanc*.

Coquemar: type de bouilloire à large panse, munie d'une anse et d'un couvercle, qui servait à faire bouillir de l'eau pour divers usages[53].

Coquille: nom donné au moule servant de récipient à la *poudre* d'or ou de bronze et à la *poudre* d'argent[54].

Coton: voir *Carde* et *Coussin*.

Coussin (ou *coussinet*): outil du doreur qui lui sert à porter et à couper les feuilles d'or à l'aide du *couteau*. Il s'agit d'une petite planche de bois rembourrée avec du bon *coton* cardé et recouverte d'une peau de veau dégraissée ou d'une peau de daim (parfois le *coton* et la peau sont remplacés par un tampon de *ouate*). Une feuille de *parchemin* borde cette planchette sur trois côtés. Elle empêche le vent de soulever et d'emporter les feuilles d'or (ill. 3, fig. B-13)[55].

Couteau: instrument à lame large et mince, utilisé par les doreurs pour couper les feuilles d'or (ill. 3, fig. B-7 et B-14 [sous B-13])[56].

Dent: en dorure, ce mot fait référence au *brunissoir* affûté en dent-de-loup (ou dent-de-chien).

Écumoire: sorte de cuiller dont on se sert pour enlever les impuretés qui surnagent à la surface des mélanges que l'on fait bouillir. On l'utilisait peut-être lors de la préparation de la *colle* ou encore quand on faisait du *mordant* pour dorer à l'huile.

Fers (ou *crochets*): instruments tournés en crochets de différentes formes et dont on se sert pour nettoyer les moulures engorgées de *blanc* (ill. 3, fig. B-5; et ill. 8).

Marbre: on peut se servir d'une plaque de marbre pour y broyer diverses matières, seules ou entre elles, à l'aide d'une *molette* ou d'un rouleau. Dans certains cas, une planche peut remplacer la plaque de marbre.

Molette: sorte de pilon de cristal, de marbre ou de porphyre présentant à peu près la forme d'un tronc de cône et dont la surface inférieure est bien plane. On s'en sert pour broyer différentes matières sur une plaque de *marbre* (ill. 9)[57].

Ouate: sorte de coton. On peut se servir d'un tampon de ouate à la place du *bilboquet* pour soulever les feuilles d'or coupées au *couteau* sur le *coussin*. De même, un tampon de ouate peut remplacer le *coton* cardé recouvert de peau au fond du *coussin*.

Palette: pinceau très plat en poil de petit-gris (écureuil de Virginie) et formant éventail. Il sert à soulever la feuille d'or du *coussin* et à la poser sur la surface à dorer.

---

[53] Réau, *op. cit.:* 123

[54] Adeline, *op. cit.:* 120

[55] *Ibid.:* 127 et Bosc, *op. cit.,* vol. I: 528

[56] Bosc, *op. cit.,* vol. I: 529

[57] Adeline, *op. cit.:* 290

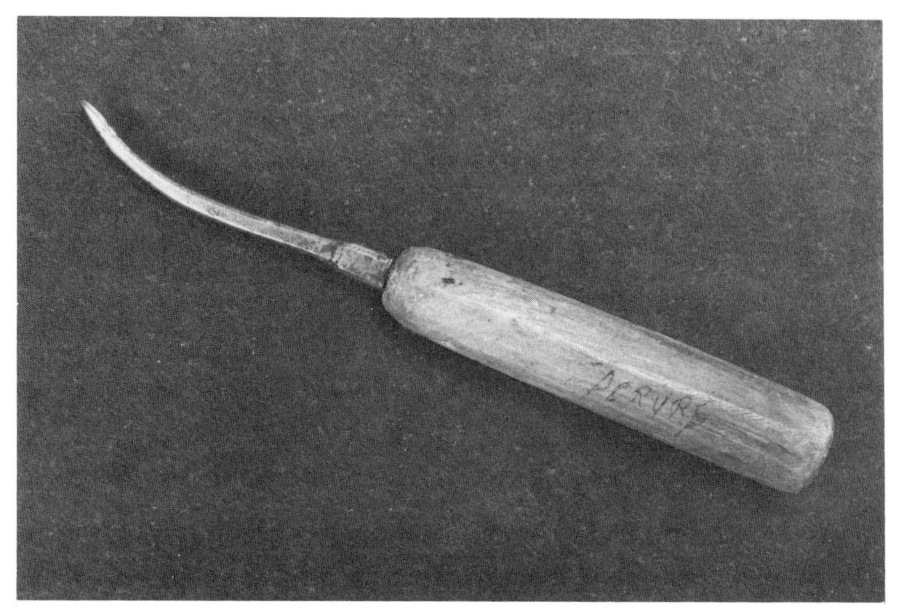

8) Ancien fer utilisé pour la dorure, monastère des ursulines de Québec.

Ordinairement, un autre *pinceau* est attaché à l'autre bout de la palette. Il sert à appuyer sur la feuille d'or dès qu'elle est posée (ill. 3, fig. B-8)[58].

Parchemin: voir *Coussin*.

Pinceaux: ils se terminent en pointe, ce qui les distingue des *brosses*. Ils sont faits de différents poils. Plusieurs types de pinceaux en poil de sanglier étaient utilisés par les soeurs de la Congrégation Notre-Dame de Montréal. À l'Hôpital-Général de Québec, on utilisait au moins des pinceaux en poil de martre. Trois principales sortes de pinceaux sont employés pour la dorure proprement dite, en plus de la *palette:* le pinceau à mouiller, le pinceau à ramender et le pinceau à mater. Le premier sert à donner de l'humidité à l'*assiette;* le deuxième est employé pour réparer les manques et les cassures des feuilles d'or (de différentes grosseurs, il est fait d'un poil très doux); on utilise le troisième pour donner une couche de *colle* légère à l'*or* qui ne doit pas être bruni (ou poli) (ill. 3, fig. B-18 et B-19)[59].

Poêle (ou *poêlon*): ce mot peut désigner un récipient servant à faire fondre diverses substances. Au XVIIIe siècle, il s'applique parfois à une casserole. Les doreurs s'en servaient pour préparer de la colle. La poêle était alors placée sur un petit réchaud portatif utilisé pour faire chauffer la *colle* (ill. 10).

Prêle: plante vulgairement appelée queue-de-cheval et qui croît dans des endroits humides. Les doreurs utilisent cette plante pour «prêler» le bois, c'est-à-dire adoucir et lisser les parties unies couvertes de *blanc*[60].

---

[58] Bosc, *op. cit.*, vol. II: 57 et vol. III: 385; Watin, *op. cit.*: 165

[59] Bosc, *op. cit.*, vol. II: 57-58 et vol. III: 507; Diderot, *op. cit.*: 57-58

[60] Bosc, *op. cit.*, vol. IV: 49

9) Molette, illustration tirée du *Lexique des termes d'art* de Jules Adeline, p. 290.

10) Poêle et réchaud utilisés pour la dorure, monastère des ursulines de Québec.

Chapitre II: Histoire générale de la dorure au Québec

À l'origine, l'art de la dorure fut l'apanage du seul atelier des ursulines de Québec. Cette exclusivité leur permit de se créer un solide marché et de recueillir au départ toutes les commandes provenant généralement des fabriques de paroisses. Fortes de cette situation bien établie, elles consentirent à livrer le secret de la dorure à quelques autres communautés religieuses au cours du XVIIIe siècle. Parmi elles, les augustines de l'Hôpital-Général de Québec allaient être les seules à établir un atelier de très grande envergure et, de ce fait, capable de concurrencer celui des ursulines à partir de 1753.

Parallèlement, quelques doreurs laïques pratiquent leur art dès le début du XVIIIe siècle, mais apparemment sans parvenir à jouer un rôle de premier plan. Il faudra attendre la fin de ce siècle pour voir surgir un doreur de taille, Louis Augustin Wolff. À partir de là, non seulement les doreurs se multiplieront, mais ils grugeront peu à peu le marché des ateliers communautaires. Toutefois, face à une certaine saturation du marché à partir du milieu du XIXe siècle, la dorure deviendra progressivement un art accessoire. À son tour, la première moitié du XXe siècle donnera lieu à certaines persistances des travaux de dorure jusqu'au moment où ces derniers ne seront plus réservés qu'à la restauration d'oeuvres du passé.

A. L'ATELIER DES URSULINES DE QUÉBEC

Venues de France, les premières ursulines de Québec connaissaient déjà l'art de la dorure lorsqu'elles mirent pied en Nouvelle-France en 1639. Parmi elles et parmi celles qui allaient venir les rejoindre, certaines l'avaient déjà pratiqué pour le décor des chapelles de leurs monastères français[1]. Marie de l'Incarnation, leur fondatrice, aurait elle-même été au fait des procédés de la dorure[2].

Reste à savoir quand les ursulines de Québec commencèrent à pratiquer cet art en «Canada». Contrairement à ce que l'on a affirmé jusqu'ici[3], il est certain qu'elles réalisèrent des travaux de dorure «pour l'extérieur» avant le XVIIIe siècle. Ainsi soeur Marie Lemaire des Anges, une des premières ursulines doreuses[4], reçut un paiement pour l'argenture d'une vierge destinée à l'église Notre-Dame de Québec dès 1689[5]. Huit ans plus tard, les ursulines reçoivent 18 # de la fabrique de Lauzon pour la dorure de gradins[6].

---

[1] DU: 3-4
[2] *Loc. cit.*
[3] *Ibid.:* 17
[4] *Ibid.:* 10
[5] ANDQ, *Livre de compte de N. Dame de Québec, 1670-1709:* 137
[6] IOA, Lauzon: Livre de comptes I

D'autre part, il est plus que probable que les ursulines dorèrent des oeuvres pour les paroisses de Québec avant 1689. Les documents nous manquent pour asseoir cette assertion mais encore une fois les archives de la paroisse Notre-Dame de Québec nous en donnent un indice à l'appui. En effet, dans un inventaire, on mentionne avoir reçu de France «de l'or en feuille deux milliers» pour un montant de 70 # en 1655[7]. Les ursulines étant seules à pratiquer l'art de la dorure, il est facile de déduire qu'elles auraient été chargées d'ouvrages de dorure cette année-là. Il en aurait été de même pour les années subséquentes puisque la fabrique de Notre-Dame-de-Québec fera de nouveaux achats d'or en 1672 et en 1685[8].

Les travaux des ursulines pour les églises de la région de Québec auraient connu une grande extension à partir de 1715 environ à cause des nombreuses dépenses engendrées par la construction de leur nouvelle chapelle[9]. La dorure de retables, de tabernacles, de chandeliers et de sculptures leur apportait des revenus essentiels à la bonne poursuite des travaux (ill. 11 et 12). Lorsque ceux-ci se terminèrent en 1736[10], elles continuèrent à remplir les commandes de dorure qui leur étaient soumises par les paroisses.

En plus de jouer un rôle de pionnières, les ursulines de Québec pratiquèrent leur art avec une grande habileté et elles eurent de très nombreux clients, quelques particuliers mais surtout des paroisses. Parmi ces dernières, voici une liste de celles qui nous sont connues pour donner une idée de l'importance de leur marché:

Ancienne-Lorette
Ange-Gardien
Baie Saint-Paul
Batiscan
Boucherville
Charlesbourg
Château-Richer
Deschaillons
Deschambault
Kamouraska
L'Achigan
Lauzon
Les Écureuils
L'Islet
Lorette
Lotbinière
Montréal (Hôtel-Dieu)
Pointe-aux-Trembles
Québec (Hôpital-Général)
Québec (Hôtel-Dieu)

---

7 ANDQ, Carton 12, no 2 (*Inventaire des meubles ustensiles & ornemens de l Eglise Paroichiale de quebec,* 1653 et suivantes)

8 Rév. P. P.-V. Charland, «Les ruines de Notre-Dame. L'ancien intérieur» dans *Le Terroir,* novembre 1924: 155

9 Jean Trudel, *Un chef-d'oeuvre de l'art ancien du Québec. La chapelle des Ursulines:* 21

10 *Ibid.:* 20

11) Pierre-Noël Levasseur (1690-1770), Retable principal de la chapelle des ursulines de Québec, 1730-1736, monastère des ursulines de Québec.

12) Pierre-Noël Levasseur, Retable principal de la chapelle des ursulines de Québec, détail: saint Jean l'évangéliste (socle de la première colonne de gauche), bois doré, (h. 37½ po. x l. 16¾ po.), 1730-1736, monastère des ursulines de Québec.

Québec (Notre-Dame)
Québec (Séminaire)
Québec (Soeurs de la Congrégation)
Rivière-Ouelle
Saint-Antoine-de-Tilly
Saint-Charles de Bellechasse
Saint-François de Montmagny
Saint-François de Sales (Île Jésus)
Saint-François du Lac
Saint-François (I.O.)
Saint-Jean (I.O.)
Saint-Joseph de Beauce
Saint-Laurent (I.O.)
Saint-Nicolas
Saint-Pierre (I.O.)
Sainte-Anne-de-Beaupré
Sainte-Croix
Sainte-Famille (I.O.)
Sainte-Pétronille (I.O.)
Verchères
Yamachiche[11]

D'autre part, afin d'illustrer la variété des objets que dorèrent les ursulines pour les paroisses, nous avons eu plus spécialement recours à quatre de leur clients. Ainsi, en 1732, elles dorent le tabernacle du maître-autel de l'église de L'Islet, une oeuvre attribuée à Noël Levasseur et achevée en 1730[12] (ill. 13). En 1751, elles exécutent pour la paroisse de Saint-Pierre (I.O.) la dorure d'un chandelier pascal, de dix pots à feu, de deux grands cadres et de douze reliquaires[13]. En 1772, elles dorent un tabernacle de même que deux anges que la fabrique de Sainte-Anne de Beaupré venait d'acheter de celle de Batiscan[14]. Enfin, quinze ans plus tard, elles se consacrent à la dorure d'un tabernacle, de deux chandeliers, d'un christ, d'un banc d'oeuvre et de deux souches pour la paroisse de Saint-Laurent (I.O.)[15].

Même s'il enregistra des revenus de 4030 £ en 1828, l'atelier des ursulines ferma ses portes cette année-là. L'annaliste du monastère nous en donne les raisons:

> «Ayant reçu depuis 1823 plusieurs sujets d'éducation des Etats-Unis D'Amérique, nous avons commencé en 1824 à enseigner la musique à autant de pensionnaires qu'il a été possible, comme cette branche d'éducation est très recherchée présentement elle ne sert pas peu à attirer les élèves, ce qui nous donne occasion de les former à la piété et à la vertu. Vu l'augmentation du pensionnat, le nombre des religieuses n'ayant pas augmenté en proportion nous

[11] voir DU et les dossiers correspondants à l'IOA.

[12] IOA, L'Islet: Livre de comptes I (1700-1779)

[13] IOA, Saint-Pierre (I.O.): Livre de compte I (1689-1789)

[14] IOA, Sainte-Anne-de-Beaupré: Livre de comptes II (1730-1777)

[15] IOA, Saint-Laurent (I.O.): Livre de comptes II (1779-1833)

13) ? Noël Levasseur (1680-1740), Tabernacle du maître-autel de l'église de l'Islet, 1728-1730, bois doré par les ursulines de Québec en 1732.

avons décidé d'abandonner l'art de la dorure y substituant celui des ornements d'Eglise, Messieurs les Curés trouvent ici des chasubles toutes faites et du linge d'église. Nous avions aussi besoin de cet appartement pour une nouvelle classe»[16].

Durant environ cent-cinquante ans, les ursulines de Québec auront donc pratiqué l'art de la dorure, tantôt en détrempe, tantôt à l'huile (voir le chapitre premier). Après un long abandon, une certaine renaissance de cet art a surgi chez les ursulines de Québec au XXe siècle, sous l'initiative de soeur Sainte-Eulalie (Gertrude Blake); c'est elle qui apprit à dorer à Joseph Dorion, ancien restaurateur au Musée du Québec[17].

B. SEPT ATELIERS COMMUNAUTAIRES

Longtemps seules à pratiquer l'art de la dorure, les ursulines devaient voir apparaître quelques communautés concurrentes à partir du milieu du XVIIIe siècle. Elles n'en furent sans doute pas surprises, ayant elles-mêmes transmis le «secret» de l'art de la dorure à au moins deux d'entre elles, les augustines de l'Hôpital-Général de Québec et les ursulines de Trois-Rivières.

Nous n'insisterons pas ici sur l'atelier des hospitalières de Québec car nous leur consacrons plus loin tout un chapitre et un long appendice. Contentons-nous pour l'instant de dire que les ursulines leur apprirent à dorer dès 1716 mais que leurs disciples n'entrèrent sur le marché de la dorure qu'en 1753.

Le témoignage de l'existence d'un deuxième atelier de dorure communautaire en Nouvelle-France apparaît en 1740; il s'agit de l'atelier de l'Hôtel-Dieu de Montréal. On ne connaît malheureusement que quatre de ses clients. De 1740 à 1744, la dépositaire de la communauté reçoit d'abord sept paiements de la fabrique de Lachenaie pour la dorure du tabernacle et des chandeliers de Gilles Bolvin (1711-1766), sculpteur de Trois-Rivières. Il nous paraît à la fois intéressant et important de citer ici les extraits pertinents des archives de la paroisse pour mieux illustrer le déroulement complexe des opérations:

[1739, p. 3] «payé pour transport du premier Etage du tabernacle de la Barque chez le sieur Guy . . .15″

[1740, p. 4] «à La Soeur St hypolite Depositaire par son reçu du 28e mars 1741 sur la Dorure du Tabernacle La somme de vingt livres en dix mts de bled cy . . .20″
«au sieur Roy Capitaine de Batiment Le payé 6″ pour le port du 2e Etage du tabernacle . . .6″

[1741, p. 6] «Premieremt livré à La soeur ste hypolite Depositaire sur la façon de la dorure du Tabernacle, suivant son reçu du 8e mars 1742 cy . . .170″

---

[16] AMUQ, *Annales* (1822-1894): 74, cité dans DU: 35

[17] voir DU: 43-55

«Livré a la sr Ste Redegonde la somme de quarante deux livres en arg.t pour quatorze livrets d'or suivant son reçu du 5e Juin 1742 cy . . .42″

[1742, p. 8v] «aoust 7e.
a la soeur s.te hyppolite sur la dorure du tabernacle . . .30″
«a Rontot pour transport des chandeliers des trois Rivieres (?) a la Pointe aux tremble . . .6″
«Pour Le transpt du 2e Etage du tabernacle de Montreal a la Chenaye, celuy de la quaisse aux Chandeliers de la pointe au trembles a Montreal, ensemble pour avoir ramener à Montreal Les soeurs s.te therese et s.te Monique paye à . . .tant pour Journées que pour nourriture et boisson La somme de . . .31″ 10

[1742, p. 9] «Payé a la soeur s.te hyppolite sur la dorure du tabernacle la somme de . . .160″

[1743, p. 11v] «Premierem.t Livré à la soeur S.te hyppolite sur la dorure du tabernacle suivant son reçû du 14e febv. 1744 . . .141″

[1744, p. 11v] «avril 13e
payé a la soeur ste hyppolite pour la dorure du tabernacle suivant son reçu du 10e mars 1744 . . .12″

[1744, p. 12] «plus pour frais de voiture pour le troisiême etage du tabernacle . . .7″ 7s 6d
«plus a Jacques Vaudry pour avoir ramené les soeurs à montreal qui etoient venu monter le tabernacle . . .1″ 10

[1744, p. 14] «à La Soeur ste huppolitte suiv.t son reçû du 31e mars 1745 . . .50″»[18]

En 1790-1791, les religieuses de l'Hôtel-Dieu de Montréal recevront deux paiements totalisant 756 # pour la dorure du retable de l'église de Rivière-des-Prairies[19]. En 1798, les fabriciens de Saint-Martin de l'Île Jésus leur confient la dorure de deux autels et de deux tabernacles destinés aux chapelles latérales de l'église; pour ce travail, elles reçoivent 650 #, ceci incluant le coût de dix livrets d'or[19bis]. Enfin, cinq ans plus tard, la fabrique de Boucherville leur doit encore 500 # 4 sols «pour les Autels dorure»[20].

Les activités moins décousues de l'atelier des soeurs de la Congrégation de Notre-Dame de Montréal se déroulent parallèlement à celles de l'Hôtel-Dieu de Montréal. En 1744, elles dorent un tabernacle pour la paroisse de Verchères, utilisant de l'or importé de France par les ursulines de Québec[21]. Huit ans

[18] IOA, Lachenaie: Livre de comptes II (1739-1797)

[19] IOA, Rivière-des-Prairies: Livre de comptes I (1703-1848)

[19bis] ASM, *Livre des deliberations de 1782 à 1838*

[20] IOA, Boucherville: Livre de comptes II (1792-1831): 22

[21] SA II: 46

plus tard, elles garnissent un reliquaire pour la paroisse de Saint-François de Sales (Île Jésus) et en 1757, elles complètent la dorure d'un tabernacle et d'un cadre pour la fabrique de Saint-Antoine-sur-Richelieu pour une somme de 400 #[22]. Le dernier témoignage connu de leurs activités de doreuses se situe en 1767-1768 avec l'ornementation d'un tabernacle pour la paroisse de Laprairie[23]. Enfin, rappelons que les soeurs de la Congrégation avaient dressé un inventaire des objets se trouvant dans leur atelier de dorure en 1743. Cet inventaire jette un éclairage particulier sur les instruments utilisés dans les ateliers communautaires au milieu du XVIIIe siècle:

> «MEMOIRE DES MEUBLES, LINGES, ET USTENCILLES.
> QUI SE SONT TROUVÉES A NÔTRE DORERIE EN *1743*
>
> scavoir
>
> Une grande table avec deux Tretaux, une moienne avec un pied pliant, une ditte petite Ciré avec un tiroir, un bufet, une Cassette ferré pour Serrer L'or, 4 billots pour poser une table, une chaudiere, un poilon, un trépied, un Ecumoir de ferblanc, 7 terrines marquées .OR. 8 planches Carré pour les Couvrir, 3 Grandes boêtes d'Ecorces avec Leur Couverts, Et une petite ronde, 4 paniers, 12 outils de fer Croches amanchées pour travailler Sur leblanc, Et 6 sans manches, 5 brunissoirs, 5 Couteaux pour Couper lor, Et un mechant pour Oter Ce qui peut rester des drogues qu'on accomode Sur Le marbre, un marteau, 14 pinceau grox de poil de Sanglier, 2 moyens, 10 petits de même poil, 12 grox pinçeau fins, 4 douzaines dits de moyens, Et tres petits, 2 palettes avec leurs pinceaux, 6 bilboquets, 3 Coussinets, 3 pots de Grés, 2 petits dit de fayençe, Excepté une de terre Grise, Un vieux Gobelet de Cristal, un chandelier de Cuivre, un marbre blanc, avec deux molettes. Un grand Crucifix avec une Gorge, 4 thèses sans Estre accommodée, 17 petites images, representant Les divers ouvrages des peres de l'attrape, 2 rideaux blanc, avec leurs vergettes de fer, un benitier, 2 vieux draps, 2 vielles napes, 6 Essuimain, Et 6 torchons neuf, 2 Grand Sac pour mettre Les Cuirs, une petite boêtte pour mêttre les petits pinceaux, un tablier de toille de brin»[24].

Pour sa part, l'histoire de la dorure à l'Hôpital-Général de Montréal présente de sérieux problèmes. Quand les hospitalières commencèrent-elles à faire de la dorure et quels sont les ouvrages pouvant leur être attribués? En 1757, elles ne savaient vraisemblablement pas dorer puisque le 30 octobre elles payent 62 £ «a un doreur pour ouvrage»[25]. En 1787, on trouve la mention

---

[22] IOA, Saint-François de Sales (Île Jésus): Livre de comptes I (1740-1804): 33 v
IOA, Saint-Antoine-sur-Richelieu: Livre de comptes I (1750-1832)

[23] SA II: 46

[24] ACND, *Livre des meubles et otencilles*...: 88

[25] Archives de l'Hôpital-Général de Montréal, *Livre des recettes et dépenses*, (vol. 2), (1747-1779): 146 (30.10.1757)

suivante dans les archives de la paroisse de Repentigny: «aux soeurs de Lhopital, dorure du chandelier pascal...180# »[26]. Puis, de 1790 à 1792, les fabriciens de Varennes versent aux «Dames de lhopitale» des paiements très importants pour la dorure de trois tabernacles apparemment sculptés par Philippe Liébert (1732-1804)[27]. Toujours dans la même paroisse, ce dernier reçoit également une rétribution pour la dorure de cadres en 1792[28]. Or, à partir de 1796, Liébert sera locataire chez les religieuses de l'Hôpital-Général de Montréal. Aurait-il favorisé ces dernières dès 1792 ou même avant pour la dorure de ses oeuvres? C'est d'autant plus possible que les paiements versés aux «dames de lhopitale» entre 1790 et 1792 dépassent les revenus encaissés pour ces mêmes années par les doreuses de l'Hôpital-Général de Québec. D'autre part, le 4 novembre 1798, les marguilliers de Vaudreuil décident:

> «que l'on feroit faire par maître Liébert deux tombeaux, deux tabernacles et les chandelliers pour nos deux chapelles dans l'église, pour le prix et somme de deux mille quatre cent chelins anciens, de plus de faire marbrer, peinturer le fonds du dit ouvrage et dorer la sculpture pour le prix qu'aura couté l'or et satisfaire le travail des mains des Soeurs grises qui doivent le poser...»[29].

D'après ce passage, les hospitalières de Montréal connaissaient certainement les procédés de la dorure à la fin du XVIIIe siècle. C'est pourquoi on peut s'étonner de cet autre texte tiré cette fois des *Mémoires* de l'Hôpital-Général de Montréal:

> «1800 à 1802 Mr Roy dorreur a montré à nos Soeurs à dorer et à faire le mordan — Elles doraient, tableaux, tabernacles, cadres, miroirs, &. &. «Mr Hyébert [Liébert], sculpteur, était locataire dans le haut de la Boulangerie, dans le bout qui donne sur la galerie de la communauté. Ce Mr avait beaucoup de pratique pour faire des tabernacles, && et les Soeurs avaient l'avantages de pouvoir les dorer le gagne qu'elles firent sur la dorrerie de 1800 à 1802 a été de 2,159". Le Tabernacle de la paroisse de St André de la Rivière aux raisins [?] a été acheté ici par Mr. Rodrick McDonell en 1 [?]»[30].

À moins que l'on perçoive l'enseignement de Roy comme complémentaire à des procédés déjà connus des religieuses, le problème de l'attribution des ouvrages de dorure de Varennes demeure entier. Ajoutons que les hospitalières reçoivent un total de 207 # 12 sols pour des travaux de dorure en 1802[31].

---

[26] IOA, Repentigny: Livre de comptes II (1756-1877): 57. Nous attribuons ce travail aux augustines de l'Hôpital-Général de Québec.

[27] IOA, Varennes: Livre de comptes III (1780-1834)

[28] *Loc. cit.*

[29] IOA, dossier Philippe Liébert et IOA, Vaudreuil: Livre de comptes I (1772-1824)

[30] IOA, Montréal (Hôpital-Général): Mémoires (1705-1857): 76

[31] Archives de l'Hôpital-Général de Montréal, *Livre des recettes et dépenses,* (vol. 3), (1779-1823): 328

Elles encaissèrent également des paiements de la paroisse Saint-Roch-de-l'Achigan en 1808 et en 1830, mais les livres de comptes de la fabrique ne précisent pas s'il s'agit de travaux de dorure. Quoi qu'il en soit, en 1855, elles enverront l'une des leurs séjourner à l'Hôpital-Général de Québec pour apprendre l'art de la dorure à la colle.

Avant de parler du cas relativement complexe de l'Hôtel-Dieu de Québec, mentionnons celui des ursulines de Trois-Rivières. On possède peu d'éléments sur leurs activités de doreuses. Soeur Marie Lemaire des Anges, dont il a déjà été question relativement aux ursulines de Québec, fut la deuxième supérieure du monastère des ursulines de Trois-Rivières. Elle y aurait transmis le secret de la dorure[32]. Quoi qu'il en soit, le seul témoignage précis de l'activité des doreuses trifluviennes se trouve dans les archives de la paroisse de Baie-du-Febvre:

> «Payé aux Dames Religieuses des Trois Rivières pour Dorrure des trois Tabernacles la Somme de quatorze cent dix huit Livres sept sols suivant Leur Recud du 2e 7bre 1781 cy . . .
> «Payé aux Dames Religieuses de Trois-Rivières Pour argenté Des Chandelliers Et croix et un ornement Blanc . . .405″ 18»[33].

Marius Barbeau rapporte qu'elles firent d'importants travaux de dorure pour cette même paroisse en 1816[34]. Selon Reine Otis, les traditions de dorure se seraient maintenues chez les ursulines de Trois-Rivières jusqu'au début du XXe siècle[34 bis].

En octobre 1749, les religieuses de l'Hôtel-Dieu de Québec payèrent 57 # à Denis Lafontaine, maître-doreur, pour qu'il leur apprenne à dorer[35]. Nous avons trouvé dans les archives de la communauté un texte anonyme qui pourrait bien être la version écrite de la communication de Lafontaine aux augustines:

> «Avant que De vous Donner, Mesdames, La recette du Secret que vous demandez, j'ai Crû Devoir vous exposer en passant quelles Sont Ses qualités, pour vous engager à en faire l'expérience avec plus De confiance ______ rien De plus aisé que D'argenter ou De Dorer à la gomme-laque, n'importe De quelle Couleur elle Soit. Ce Secret Convient à toute Sorte De matieres; fer, Cuivre, ètain, Bois, papier, Cuir, verre &c et, tout Cela en est Susceptible. en un moment on Se Satisfait par une piece Bien argentèe ou Dorèe. il a encore Cet avantage, qu'il porte avec Lui Son èclat Sans qu'il Soit Besoin De passer La Dent Sur L'ouvrage, pour vû que La piece ait été au paravent Bien Brunie. La Composition Dont on Se Sert pour appliquer l'or ou l'argent est Des plus Siccatives, en trois quarts

---

[32] DU: 10-11

[33] IOA, Baie-du-Febvre: Livre de comptes I (1734-1819): 44 b et 45

[34] SA II: 47

[34bis] DU: 54-55

[35] DU: 39

D'heure on peut poser Dans Son lieu la pièce que vous venez D'argenter, Sans Crainte De l'effacer. ——— pour cela Donc, faites Dissoudre Dans une Demihard De Bon Esprit De vin un quart De gomme-Laque que, vous réduirez pour cet effet en poudre très fine. Si vous voulez hâter votre Dissolution, mettez le tout Dans une phiole èpaise et Bien Bouchèe sur les Cendres Chaudes. Ne perdez pas alors votre Matiere De vüe De Crainte que la phiole ne Se Casse Souffrant trop du feu. Secoüez la même De tems en tems pour empêcher que la poudre ne S'affèse au fond Du vaisseau. enfin lorsque la liqueur Se Sera Bien chargée De la matiere. Ce que vous Connoîtrez quand elle Sera Devenu roussâtre, vous retirerez votre phiole De Dessus Les Cendres, parce qu'alors votre liqueur est Suffisante pour/pour l'usage que vous en voulez faire, et qui suit.

usage de la Susdite Dissolution

après avoir retirè votre phiole De Dessus les Cendre, vous la Secoüez encore, et Sans le Dèboucher vous la laissez refroidir. ensuite ayant prèparè votre piece et ayant Coupè S'il le faut Sur un Coussinet De Cuir vos feuilles, vous trempez Dans votre liqueur l'empanon D'une plume, et vous La passez aussitôt legerement Sur l'endroit où vous voulez appliquer la feuille que vous prenez pour cela avec un tapon De ouëte proportioné à la grandeur de la feuille, et que vous avez eu Soin D'humecter De votre haleine pour la prendre plus facilement. Sitôt que votre argent ou votre or est Couchè ainsi, vous le tapez legerement Du même tâpon ou bibloquet pour L'unir Davantage; ce que vous faites jusqu'à perfection De l'ouvrage.

N:B.
il arrive quelque fois que les feuilles D'or ou D'argent Sont trop minces et qu'ainsi elles perdent leur èclat etant couchèes, parce que la Couleur De la piece transparoit, alors on est obligè De les recouvrir De nouvelles feuilles partout et De la même maniere que les premieres.

on peut encore le faire Sans cette raison là, Seulement pour Donner à l'ouvrage plus De brillant. aussi, lorsque la piece argentèe ou Dorèe est Bien Sèche, on peut passer par Dessus en tapant De la ouëte aussi Bien Sèche Cela ne Contribue pas peu à relever l'eclat de l'ouvrage»[36].

Les religieuses ne semblent pas avoir mis à profit ce procédé de dorure au mordant. C'est sans doute pourquoi elles eurent recours aux doreuses de l'Hôpital-Général de Québec pour la dorure d'une niche en 1779. Toutefois, les archives de la fabrique de Rivière-Ouelle nous donnent la preuve que, quatre ans plus tard, elles savaient dorer et argenter:

«Payé six bouquets d'autel avec leurs pots argentés ensemble un petit fauteuil doré a l'hotel Dieu de Quebec Suivant le reçu la Somme de 189″»[37]

---

[36] AHDQ, *Fonds Soeur Sainte-Marie (Lemieux)*

[37] IOA, Rivière-Ouelle: Livre de comptes I (1735-1814)

C'est là le seul témoignage de travaux de dorure exécutés pour les paroisses par les augustines.

Cinquante ans plus tard, elles auront recours aux services d'un des doreurs Bailey de même qu'en 1834 et de 1847 à 1850. Thomas Baillairgé effectue également des ouvrages de dorure à l'Hôtel-Dieu en 1834 et les doreuses de l'Hôpital-Général de Québec à nouveau en 1838. Toutefois, en 1887, une religieuse de l'Hôtel-Dieu, soeur Saint-Hyacinthe, argente le crucifix et les chandeliers du maître-autel de la chapelle du monastère[38].

La carrière des doreuses augustines s'avère donc pour le moins erratique. Néanmoins, on peut présumer qu'elles dorèrent bien d'autres ouvrages et ce, à la lumière de l'intérêt qu'elles paraissent avoir porté aux procédés de la dorure. En effet, parmi les documents relatifs à la dorure qu'elles conservent, il faudrait ajouter à celui que nous citions plus haut trois procédés pour l'or en coquille et un autre pour faire le mordant destiné à la dorure à l'huile:

> «**or en Coquille**
>
> prenez Celle a moniaque et de Lor en feuille agitez le tout deus ou 3 heur Sur la fin mêlez Se que vous voudré de mielle______
>
> **Colle a deauré**
>
> prenez un Demie Siau deau vous metterez une Liver raugure de gans Blanc mettez j'un ver de Bon vinaigre et Lorsquelle Sera amoitiez Cuite vous metterez autant deau de vie et quelque tems avam de tirer du feu, metez gros Comme une noix de Caule forte et pour Caunaître qu'and elle Cera Cuite il faut quelle Soit pale ou jelée______
>
> **vernis pour or et arjans**
>
> prenez du ver de gris Broyé Sur un marbre avec de leau claire vous meterez trempé pendant 8 heur du Safran______»[39]
>
> «**Argent et or en Coquille**
>
> prenez De lor en feuille gomme a Rabique en Salpêtre et Les Lavez en au Commune. Lor y ra au fond et puis vous Le Remetteré dans La Coquille, pour Largent au Lieu de Salpetre on mes Du Sel blanc»[40].
>
> «**Or en Coquille**
>
> Les peintres font usage de l'or ou l'argent en Coquille dont ils enrichissent les chef doeuvres de leur art Pour l'obtenir on prendra du Sel amoniac bien pur broyez le dans unceau de gomme épaisse cependant claire jusquà ce qu'elle ait la Consistance d'un Sirop mélez-y auntant que vous voudrez d'or ou d'argent en feuilles, broyez le tout ensemble pendant une couple d'heures avec toute l'exactitude possible mettez ensuite ce mélange dans un verre net versez par dessus de l'eau filtrée remuez le tout avec une spatule

---

[38] AHDQ, *Journal des Religieuses Hospitalières . . .*, (1877-1888): 538-539

[39] AHDQ, *Fonds Soeur Sainte-Marie (Lemieux)*

[40] *Loc. cit.;* suivent divers procédés de dorure sur faillance, papier etc.

de bois et quand l'or sera tombée aufond décantez l'eau et remettez en de nouvelle; c'est ce qu'on appelle édulcorer. Quand vous aurez enlevé de cette façon tout le sel amoniac et toute la viscosité de la gomme & que l'or sera pur et dégagé de toutes matières étrangères vous en prendrez au bout d'un petit pinceau et vous en ferez de petits amas dans des coquilles que vous laisserez sécher. Toutes les fois que vous voudrez vous servir de cet or ou argent en coquille vous naurez qu'à l'humecter avec une eau de gomme légère»[41].

«recette pour faire le mordant pour doré à l'huile______

prenez une pinte d'huile Double bouilli deux cueillerée et demi de terre ombre ecrasé, une cueilleree de litarge dor en poudre mettez le tout dans un pot de terre faites le bouillir a petit feu pandent quatre heures écumez l'huile tout le tems quelle bouille tout ceci est pour clarifier l'huile il faut quelle dépose 24 heur

Composition du mordant______

prenez trois quarterons de lox ford un quarteron d'ocre jaune ordinaire un quarteron de l'itarge d'or en poudre... delaiez le tout avec moitié d'huile clarifier et de l'huile ordinaire
il faut en Suite broyez votre mordant Sur un marbre jusquace quil soit aussi fin que de la crême. mettez le dans un pot a joutez y de l'huile commune la hauteur d'un pouce par dessus le mordant il faut le couvrire. on peut le conservez pendans dix ans, pour en faire usage il faut le déléer avec de l'huile commune Sur un marbre un peut plus épais que la pinture,»[42]

Mentionnons enfin un dernier atelier communautaire, plus tardif celui-ci puisqu'il ne voit le jour qu'au milieu de XIXe siècle chez les soeurs de la Charité de Québec. Peu après la fondation de leur institution en 1849, elles se munirent de tous les instruments nécessaires à l'art de la dorure. Marius Barbeau rapporte les noms de quelques-unes des principales doreuses dans son ouvrage sur les *Sainte Artisanes*[43].

C. LES PREMIERS DOREURS LAÏQUES

On sait peu de choses des premiers doreurs laïques ayant exercé leur métier au Québec. À ce propos, on conserve aux archives du Séminaire de Québec un document intitulé *Instructions pour les manufactures,* document que l'abbé Amédée Gosselin attribuait à l'intendant de Meulles et qu'il datait de 1685. Relativement à l'établissement de Saint-Joachim, l'abbé Gosselin citait ce passage concernant entre autres l'enseignement du métier de la dorure en Nouvelle-France:

---

[41] *Loc. cit.*

[42] *Loc. cit.*

[43] SA II: 50

«L'on y établira aussi des métiers pour les faire apprendre aux enfants du pays, et l'on y enseigne actuellement la menuiserie, la sculpture, la peinture, la dorure, pour l'ornement des églises, la maçonne et la charpente»[44].

Ce commentaire de l'intendant de Meulles relevait davantage d'intentions et de projets que de réalités. En fait, l'auteur cherchait à intéresser le roi Louis XIV au développement de manufactures en Nouvelle-France, politique qui ne put voir le jour à cause du mercantilisme de la métropole.

Le premier maître-doreur de Nouvelle-France que nous connaissons avec certitude fut Claude-Vincent Meunson (ou Menesson). Il était né à Paris en 1678. Il se maria à Montréal le 8 février 1706; en 1710, il y travaille[45]. On ignore presque tout de ses ouvrages de dorure. Il en réalisa probablement pour l'église de Sainte-Anne-de-Beaupré en 1713-1714, mais les archives demeurent peu explicites à ce sujet:

[1713] «payé à Mre Claude Menneson pour avoir blanchi et peinturé la voute de l'Eglise, Marbré deux quadres et douze chandelliers et peinturé douze croix volantes pour la Consécration de L'Eglise . . .480″

[1714] «a Mre Claude Menneson p^r^ louvrage de la Chair deux chandeliers et le verni qu'il a fourny . . .40″»[46]

Plus tôt, en juin 1708, il avait reçu un paiement de 133 # pour la dorure du tabernacle de l'Hôtel-Dieu de Montréal, une oeuvre exécutée par Charles Chaboillez (1654-1708) en 1705[46 bis]. Ayant continué à exercer son métier à Montréal (il demeurait sur la rue Notre-Dame), Meunson mourut en ou avant 1746[47].

Le deuxième de nos doreurs connus est nul autre que Denis Lafontaine (1691-1755) qui semble avoir travaillé à Québec et qui confia le secret de la dorure aux augustines de l'Hôtel-Dieu de Québec en octobre 1749[48].

Le cas de Philippe Liébert s'avère moins obscur[49]. Il fut avant tout un sculpteur mais on a conservé des échos de ses travaux de dorure. En 1768, il bronze (or en coquille?) la balustrade de l'église de L'Assomption et, l'année

---

[44] L'abbé Amédée Gosselin, *L'instruction au Canada*...: 354

[45] Cyprien Tanguay, *Dictionnaire généalogique*... (vol. 6): 18
Antoine Roy, *Inventaire des greffes du Régime français*, XIX Louis Chambalon, 2e partie (1703-1718): 313-314

[46] IOA, Sainte-Anne-de-Beaupré: Livre de comptes I (1659-1731).

[46bis] Archives de l'Hôtel-Dieu de Montréal, *Registre des recettes et depenses de l'Hotel-Dieu de Montreal*, (1696-1726): «payé a menesson sur la dorure du Tabernacle. . .133» (juin 1708)

[47] ANQM, Registre des Audiences, vol. 23 (1744-1746), folio 402: *Demandeur Joseph Menesson. Defendeur Heuteus Demers* (2.5.1746). «Joseph Menesson comparant par Françoise Alary veuve vincent mennesson».

[48] Tanguay, *op. cit.* (vol. V): 81

[49] voir Gérard Morisset, *Philippe Liébert*.

suivante, il y réalise «un autel à tombeau Doré»[50]. En 1792, il aurait doré des cadres pour la paroisse de Varennes[51]. Deux ans plus tard, il propose aux marguilliers de Saint-Cuthbert de faire marbrer et dorer un autel[52], songeant peut-être à faire exécuter cet ouvrage par les religieuses de l'Hôpital-Général de Montréal. On a déjà parlé de son rôle dans l'attribution de travaux de dorure aux soeurs grises à la fin du XVIIIe siècle. Ainsi, il leur confie sans doute les travaux de dorure et d'argenture faisant partie du contrat qu'il passe le 3 novembre 1799 avec la fabrique de Sainte-Rose[53].

D. LOUIS AUGUSTIN WOLFF ET LE SECRET DE LA DORURE

Originaire d'Allemagne, Louis Augustin Wolff fut à la fois peintre et doreur. Il a laissé des traces de son activité de 1760 à 1818[54]. Il travailla peut-être d'abord à Québec: le 16 décembre 1760, il y fait baptiser sa fille à l'église Notre-Dame[55]. Quoi qu'il en soit, il demeure un de ceux qui illustrent le mieux l'atmosphère de secret entourant les procédés de la dorure tant dans les communautés que chez les laïcs. Parmi ceux-ci, il fut le premier à vraiment entamer le marché des religieuses grâce à son «secret». Il aurait livré celui-ci à une dame Taschereau de Sainte-Marie de Beauce en 1783 et il perdit sans doute à cette occasion un contrat de dorure intéressant. C'est du moins ce qui se dégage de cet extrait des archives de la paroisse:

> «pour or et argent en Livrets achetté pour Dorer et argenter les Tabernacles, Chandeliers, Christes, Statues, &a y compris 66″ donné à un alment [vraisemblablement Wolff] pour avoir le secret de dorer à l'huile, ne lui ayant fait dorer que deux Morceaux de Sculpture.
> N.B. Le tout a été Doré et argenté par Madame Taschereau Mère ...330″»[56]

En 1786, Wolff est à Montréal où il assiste au baptême d'une autre de ses filles[57]. En 1791, il vend des livrets d'or, de la peinture verte et de l'huile de lin à la fabrique de Repentigny[58]. Peut-être y exécute-t-il des travaux de dorure? Faisant abstraction de ses oeuvres comme peintre, nous le retrouvons avec Pierre Lefoureur à Saint-Joseph de Chambly l'année suivante. Ils y décrochent le contrat de décoration de l'église; le 25 octobre 1795, ils ont complété leurs

---

[50] IOA, L'Assomption: Livre de comptes I (1742-1809)

[51] IOA, Varennes: Comptes du marguillier de la Vierge (1786-1846)

[52] IOA, Saint-Cuthbert: Livre de délibérations I (1787-1878)

[53] IOA, Sainte-Rose: Livre de comptes (1797-1838)

[54] J.R. Harper, *Early Painters and Engravers*...: 337

[55] AJQ, État civil de Notre-Dame de Québec (1759-1768)

[56] IOA, Sainte-Marie de Beauce: Livre de comptes I (1766-1831): 79

[57] ANQM, État civil de Notre-Dame de Montréal, 1786, f° 2

[58] IOA, Repentigny: Livre de comptes II (1756-1877)

travaux[59]. En 1797 et 1798, Wolff argente successivement des chandeliers dans les paroisses de Saint-Sulpice et de Saint-Ours[60]. L'année suivante, il «baptise» à nouveau, cette fois un garçon à Verchères[61]. Au cours de la même année, il peint et dore à Berthier-en-Haut (il y oeuvrera jusqu'en 1802)[62]. Toujours en 1799, il peint l'intérieur de l'église de Saint-Denis-sur-Richelieu (dorure?)[63].

Un an plus tard, il est dans une paroisse voisine, Saint-Antoine-sur-Richelieu, où il est vraisemblable de penser qu'il dore ou argente six chandeliers sculptés par Louis Quévillon (1749-1823)[64]. En 1803, il dore probablement deux tabernacles, des chandeliers et des christs pour la paroisse de Sault-au-Récollet[65]. L'année suivante, de retour à Saint-Denis, il dore et marbre des autels[66]. Enfin, comme dernier témoignage connu de ses fébriles activités de doreur, ajoutons qu'il dore deux croix pour la somme de 130 # 15 sols à Berthier-en-Haut en 1814[67].

Wolff ne fut pas le seul de nos peintres à avoir pratiqué l'art de la dorure. Au contraire, plusieurs suivront sa trace dans cette voie. Toutefois, pour Louis-Chrétien de Heer (vers 1750 - avant 1808) la dorure semble avoir été relativement accessoire dans sa carrière. Nous n'en connaissons que deux travaux, l'un à Saint-Charles de Bellechasse en 1789, l'autre à l'Islet l'année suivante[68].

Pour sa part François Baillairgé (1759-1830) fut avant tout un architecte, un sculpteur et un peintre. On lui doit néanmoins quelques travaux de dorure. Certains sont de peu d'envergure: un chiffre en or pour la calèche de l'avocat François-Joseph Cugnet en 1794, «le Chiffre et la Crête d'armes» du juge en chef William Osgoode la même année, quelques sections d'un grand relief destiné à l'église de Les Éboulements en 1795-1796 et un cadre de tableau en décembre 1796[69]. D'autres nous apparaissent d'assez grande importance: la chaire dorée et marbrée de l'église Notre-Dame de Québec en 1800[70], le tombeau et le tabernacle dorés du maître-autel de Saint-Laurent (I.O.) l'année

---

[59] IOA, Chambly: Livre de comptes I

[60] IOA, Saint-Sulpice: Livre de comptes I
IOA, Saint-Ours: Livre de comptes II (1792-1903)

[61] IOA, Verchères: Registres (1799)

[62] IOA, Berthier-en-Haut: Livre de comptes I (1752-1821)

[63] IOA, Saint-Denis-sur-Richelieu: Livre de comptes I (1755-1821)

[64] IOA, Saint-Antoine-sur-Richelieu: Livre de comptes I (1750-1832)

[65] IOA, Sault-au-Récollet: Livre de comptes I (1737-1823)

[66] IOA, Saint-Denis-sur-Richelieu: Livre de comptes I (1755-1821)

[67] IOA, Berthier-en-Haut: Livre de comptes I (1752-1821)

[68] Georges Côté, *La Vieille Église de Saint-Charles*...: s.p.
Harper, *op. cit.*: 153

[69] JFB

[70] JFB

suivante[71] et enfin des chandeliers argentés pour l'église de Saint-Pierre de Montmagny en 1811[72].

À la fin du XVIIIe siècle, un sculpteur-doreur à propos duquel on dispose de peu d'informations, François Filiau, réalise d'imposants travaux de dorure à l'huile pour l'église de Saint-Henri de Mascouche. En 1795-1796, d'une part il dore un tombeau à la romaine (moulures et ornements), un tabernacle et deux petites statues, d'autre part il argente six grands chandeliers, un christ, une croix et quatre chandeliers à pied plat et tournés[73].

E. LOUIS QUÉVILLON ET SES ASSOCIÉS; LEURS DISCIPLES

Louis Quévillon, un des principaux sculpteurs de la région de Montréal dans le premier quart du XIXe siècle, consacra une large part de ses activités professionnelles à la dorure. En 1799, il s'engage à «faire Dorer» (sans doute par ses propres ouvriers) un tabernacle et un autel pour l'église de Rivière-des-Prairies[74]. En 1803-1804, la même formule est employée pour d'importants travaux à Saint-Henri de Lévis[75]. L'année suivante, Quévillon est à Saint-Michel de Bellechasse avec ses ouvriers, travaillant notamment à la dorure d'un autel à la romaine, d'un entablement, de la chaire, du banc d'oeuvre et de la voûte[76]. La même année, il passe un marché avec les fabriciens de Rigaud pour des tâches se chiffrant à 1500 # et comprenant de la dorure et de l'argenture[77].

En 1806, Quévillon décroche deux contrats: à Sainte-Thérèse, il fera un autel dont les reliefs seront dorés, il sculptera un tabernacle dont une partie sera dorée à l'huile et il réalisera une garniture de chandeliers et une croix argentées à l'huile[78]; au Sault-au-Récollet, il fera trois autels partiellement dorés[79]. En 1807, il dore un tabernacle à Saint-Laurent (I.O.) et le maître-autel de Saint-Hyacinthe[80]. Un an plus tard, il reçoit 1500″ «pour dorure» à l'église de Rivière-des-Prairies[81]. La même année, il amorce des travaux de sculpture

---

[71] IOA, Saint-Laurent (I.O.): Livre de comptes II (1779-1833)

[72] IOA, Saint-Pierre de Montmagny: Livre de comptes II (1783-1845)

[73] ANQM, Greffe du notaire François Leguay fils: no 217, *Marché Entre Sr Fr Filiau & La fabrique de St Henry de Mascouche* (22.12.1795)

[74] IOA, Rivière-des-Prairies: Livre de comptes I (1703-1848): 170 v

[75] IOA, Saint-Henri de Lévis: Livre de comptes I (1781-1875)

[76] IOA, Saint-Michel de Bellechasse: Livre de comptes II (1775-1860)

[77] IOA, Rigaud: Livre de comptes I (1801-1848)

[78] AJSJ, Greffe du notaire P.R. Gagnier: no 5317, *Marché de Louis Quevillon avec les Sieurs Augustin Robert et Toussaint Sarasin Marguilliers de Ste Thérèse* (28.12.1806)

[79] IOA, Sault-au-Récollet: Livre de comptes I (1737-1823)

[80] IOA, Saint-Laurent (I.O.): Livre de comptes II (1779-1833)
IOA, Saint-Hyacinthe: Livre de comptes I

[81] IOA, Rivière-des-Prairies: Livre de comptes I (1703-1848)

et de dorure à l'église de Boucherville, travaux pour lesquels il recevra des paiements jusqu'en 1811 et qui se chiffreront au total à une somme imposante dépassant 12,000 livres[82]. Poursuivant d'importants ouvrages amorcés à Saint-Cuthbert en 1808, Quévillon semble disposer de la faculté d'ubiquité l'année suivante: on le retrouve remplissant des contrats d'importance variable à Notre-Dame de Montréal, à Saint-Mathieu de Beloeil, à Saint-Charles de Bellechasse et à Rïvière-Ouelle[83].

Vers 1810, il signe une convention avec la fabrique de Saint-Louis de Kamouraska pour de substantielles opérations de peinture et de dorure. Même si cette convention devait rester lettre morte, elle présente beaucoup d'intérêt puisqu'elle est l'une des seules connues, qui soit consacrée exclusivement à ce genre de besogne:

> «Convention faite entre Messire Alexis Pinet Archiprêtre Curé de la paroisse de St Louis de Kamouraska et Mrs les Marguilliers de la dite paroisse de St Louis de Kamouraska, et entre Mr Louis Quevillon Architecte demeurant à St Vincent de Paul dans l'Isle Jésus.
>
> «S'oblige Mr Louis Quevillon de peinturer et dorer tout ce qu'il plaira à Messire Pinet et à Mrs les Marguillers de faire peinturer et dorer dans le retable de l'Eglise de la dite paroisse de St Louis de Kamouraska; la fabrique fournissant l'or, la peinture et l'huile, et payant au dit Quevillon deux chelins par chaque livret d'or et dix chelins par chaque baril de peinture qu'il emploiera; entendu que les barils de peinture n'excèderont pas le poids de vingt-huit livres. S'oblige de plus le dit Quevillon de fournir le mordent nécessaire à l'emploix de l'or. La fabrique sera obligée de loger et nourir les ouvriers du dit Quevillon pendant le tems qu'ils travailleront. S'oblige enfin le dit Quevillon de faire faire cet ouvrage dans le cours de l'été prochain. Le tout sera payable en trois ans, c'est-à-dire un tiers par chaque année, à compter du jour que l'ouvrier commencera»[84].

En 1810-1811, Quévillon achète des livrets d'or de différents marchands de Montréal pour la fabrique de Notre-Dame: ce sont Philip Lyman & Co., Wodswoth & Nichols, John Frithingham (ou Frotingham) et un certain Webster[85]. Toujours en 1811, il signe un marché avec les fabriciens de Sainte-Rose (Île Jésus), marché comprenant, en plus d'ouvrages de sculpture, des

---

[82] IOA, Boucherville: Livre de comptes II (1792-1831)

[83] IOA, Saint-Cuthbert: Livre de comptes I (1798-1880)
ANQM, Greffe du notaire L. Chaboillez: no 8835, *Marché entre Sr Louis Quevillon . . . et les Marguilliers de la fabrique paroissiale de Montréal* (19.8.1809)
IOA, Dossier Louis Quévillon
Côté, *op. cit.*
IOA, Rivière-Ouelle: Livre de comptes I (1735-1814)

[84] IOA, Saint-Louis de Kamouraska: cartable de papiers divers. Les travaux de dorure en question auraient été exécutés par Louis-Basile David et David-Fleury David en 1813 (voir Alexandre Paradis, *Kamouraska:* 333-334)

[85] IOA, Montréal (Notre-Dame): boîte 1805 (reçus et états de comptes divers)

grands travaux d'imitation de marbre, de dorure et d'argenture à l'huile[86]. L'année suivante, il encaisse 4200 livres en acompte d'un marché de dorure pour l'église de Saint-Marc[87]. Au cours des années subséquentes, il travaille dans la même veine à Saint-Ours (1816-1817), à Notre-Dame de Montréal (1818), à Repentigny (1819) et à Lanoraie (1819-1822)[88]. Ajoutons à cette kyrielle de réalisations, celles de Verchères (1820) et de Saint-Laurent (Montréal) (1821): à Verchères, il reçoit 19,824 # 2 sols «pour tous ses ouvrages et dorures»[89] et à Saint-Laurent près de 4000 # pour de la sculpture, de la dorure et de l'or en feuille[90].

Bien qu'elle soit déjà fort impressionnante, l'énumération des travaux de dorure et d'argenture à l'huile de Quévillon ne serait pas complète si nous ne faisions écho aux ouvrages qu'il fit en association avec René Saint-James dit Beauvais (1785-1837), Joseph Pépin (1770-1842) et Paul Rollin (1789-1855).

En 1816, Quévillon, Pépin et Rollin paraphent un marché avec les marguilliers de Pointe-Claire; cette entente incluait notamment la dorure à l'huile des sculptures de la voûte et celle des trois retables et deux petits tabernacles (dorure partielle)[91]. Toutefois, en 1817, les quatre associés cèdent à André Achim (1793-1843) les ouvrages de sculpture, de peinture et de dorure qu'ils y avaient entrepris l'année précédente[92]. De 1820 à 1823, Quévillon oeuvre pour l'église de Sainte-Geneviève en association avec René Saint-James. Leurs ouvrages comprennent alors la dorure à l'huile des sculptures de la voûte, celle des moulures de la corniche, de la chaire et du banc d'oeuvre, celle des sculptures du jubé et enfin celle du retable et d'un gradin[93].

Pour sa part, René Saint-James remplit divers contrats de dorure seul ou en association avec d'autres sculpteurs-doreurs. Le marché qu'il signe le 12 septembre 1813 avec les marguilliers de Saint-Constant spécifie qu'il réparera la dorure et l'argenture de la chaire et du banc d'oeuvre, en plus d'appliquer ses

---

[86] ANQM, Greffe du notaire N. Manteht: no 401, *Dévis et marché...* (1.2.1811)

[87] IOA, Saint-Marc-sur-Richelieu: Livre de comptes I (1794-1826)

[88] IOA, Saint-Ours-sur-Richelieu: Livre de comptes et délibérations II (1792-1903)
IOA, Montréal (Notre-Dame): Boîte 1815 (compte et reçu de Louis Quévillon en date du 10 janvier 1818)
IOA, Repentigny: Livre de comptes II (1756-1877): 87
IOA, Lanoraie: Livre de comptes II (1792-1839)

[89] IOA, Verchères, Livre de comptes IV (1800-1822)

[90] IOA, Saint-Laurent (Montréal): Livre de comptes II

[91] ANQM, Greffe du notaire Louis Thibaudault: no 4213, *Marché Entre le Sr quevillon et Les Marguillers de Pointe Claire* (14.7.1816)

[92] ANQM, Greffe du notaire J.B. Constantin: no 1722, *Cession d'ouvrages par les Sieurs Louis Quevillon, Jos Pepin, &c à André Achim* (10.10.1817)

[93] ANQM, Greffe du notaire J. Payement: no 1132, *Devis des S. Couvillion & Les marguillers (de Ste Geneviève)* (5.3.1820)

talents de doreur à la corniche et à la voûte de l'église[94]. À partir de 1813, il continue dans la même voie à Sainte-Thérèse de Blainville, peinturant et dorant corniches, retables, colonnes, cintre, «géova» etc.[95]. Il cèdera toutefois cet ouvrage à François Dugal le 31 août 1816[96]. Vers 1821, il sculpte et dore à l'église de Marieville[97].

On soupçonne à peine la complexité des relations existant entre certains sculpteurs de la région de Montréal dans la première moitié du XIXe siècle. Ainsi, en 1821, Saint-James s'associe à Rollin pour des travaux (comprenant de la dorure) à l'église de Saint-Mathias. La même année, il cède sa part des ouvrages à Jean-Baptiste Baret (1799-1858), mais ce transport est résilié en 1824 et il doit prendre la relève de Baret. D'autre part, toujours en 1824, François Dugal cède à Saint-James une partie des travaux de l'église Saint-Mathias que ce dernier lui avait «transporté» le 26 février 1821. En 1830, Rollin cèdera à Saint-James une partie des travaux de l'église Saint-Mathias...[98]. Ajoutons qu'en 1832, Nicolas Perrin s'engage à parachever les ouvrages de sculpture et de dorure entrepris depuis 1828 par Saint-James à l'église Sainte-Madeleine de Rigaud[99].

Les opérations de dorure de Joseph Pépin nous sont peu connues. En 1816, il aurait doré vingt-huit souches et deux chandeliers pour l'église de Les Cèdres[100]. Huit ans plus tard, à Saint-Marc, il reçoit 108 # pour vingt-quatre petits cadres dorés[101].

D'autres membres de ce que l'on a appelé «l'école de Quévillon» pratiquent également l'art de la dorure à la même époque. Signalons d'abord les activités d'Amable Gauthier (1792-1876) à Lavaltrie en 1820 et à Berthier-en-Haut en 1824[102]. En association avec Pierre Salomon Benoît dit Marquette[103], Vincent Chartrand (vers 1795-1863) exécute pour sa part quelques ouvrages de dorure et d'argenture à l'église de Saint-Vincent-de-Paul en 1826-1827[104]. En 1834, il

---

[94] ANQM, Greffe du notaire C.F. Dandurand: no 930, *Marché*... (12.9.1813)

[95] ANQM, Greffe du notaire N. Manteht: no 651 (4.7.1813)

[96] ANQM, Greffe du notaire J.B. Constantin: no 1530 (31.8.1816)

[97] IOA, dossier René Saint-James dit Beauvais: greffe du notaire J.B. Constantin (27.3.1824)

[98] ANQM, Greffe du notaire J.B. Constantin: no 2591, *Cession d'ouvrages de Sculpture &c par René St.-James à J.B. Baret* (20.4.1822)
Ibid.: no 2845, *Société entre René St James et François Dugal Et Transport par le dit René St. James audit Frs Dugal* (14.4.1824) [voir aussi *Ibid.*: no 3023, (11.6.1825)]
Ibid.: no 3805, *Transport par Paul Rollin écuier à René St. James Ecuier* (11.3.1830)

[99] ANQM, Greffet du notaire M.G. Baret (26.6.1832)

[100] IOA, Les Cèdres: Livre de comptes II (1816)

[101] IOA, Saint-Marc-sur-Richelieu: Livre de comptes I (1794-1826)

[102] IOA, Lavaltrie: *Marché* (13.8.1820)
IOA, dossier Amable Gauthier

[103] ANQM, Greffe du notaire J.B. Constantin: no 2849, *Société entre Vincent Chartrand et Pre Salomon Benoît* (23.4.1824)

[104] *Ibid.*: no 3134, *Devis et Marché*... (28.1.1826)

confiera à son associé la charge de compléter les ouvrages qu'il a entrepris pour les églises de Saint-Luc (comté de Dorchester?) et de Saint-Jean de Dorchester (comté de Mégantic?)[105]. En 1820-1821, Amable Charron dore huit statues, une partie du sanctuaire et les étoiles de la voûte de l'église de l'Islet[106]. Trois ans plus tard, Jean-Romain Dumas et Jean-Baptiste Baret s'associent pour faire ensemble tous les ouvrages de sculpture, de peinture et de dorure qui leur seront confiés[107]. En 1825, André Achim (1793-1843) et Victor Chesnier s'engagent devant les syndics de Lachine à «dorer avec or mate» différents ornements sculptés dont une garniture de chandeliers et une croix destinées au banc d'oeuvre[108]. Un an plus tard, les frères François et Jérôme Pépin signent un marché avec la fabrique de Saint-Mathieu de Beloeil, marché dans lequel ils promettent de faire avant le printemps de 1827 «tous les ouvrages de Sculpture Peinture et dorure necessaires pour l'ornement de la voute et Plafond des chapelles» de l'église de cette paroisse[109]. Finalement, en 1831, François Dugal achève différents travaux comprenant de la dorure pour l'église de Sainte-Rose; ceux-ci avaient été amorcés en 1829[110].

Certains des documents notariés que nous avons consultés nous apprennent que la transmission de l'art de la dorure était souvent incluse comme exigence dans les contrats d'apprentissage passés entre Quévillon et ses associés d'une part, et leurs disciples d'autre part. Parmi ces derniers, nous avons déjà vu à l'oeuvre Jean-Baptiste Baret et Nicolas Perrin, apprentis de Saint-James, de même que Pierre Salomon Benoît dit Marquette, disciple de Quévillon. À ces cas, il faudrait ajouter ceux de Berlinguet, Viau, Trudeau, Hurtubise et Demers.

Apprenti de Pépin en 1806, Louis-Thomas Berlinguet (1789-1863) fut avant tout architecte-sculpteur, mais on lui doit tout de même quelques travaux de dorure. Le 9 novembre 1831 une annonce parue à la fois dans *La Gazette de Québec* et dans *Le Canadien* fait état de ses diverses qualifications:

> «LE soussigné ARCHITECTE, SCULPTEUR, etc, prend la liberté d'informer le public et messieurs les curés en particulier, qu'il vient d'ouvrir rue Saint-Flavien, Haute-Ville, de Québec, près du cimetière des Picotés, un Atelier où il se propose d'executer toutes les pièces et morceaux de sculpture, d'architecture et dorure qui pourront lui être demandés. M. Berlinguet ôse se flatter qu'après avoir travaillé quinze années comme contremaître chez un des meilleurs maîtres du pays, cet avantage lui méritera l'encouragement de tous ceux qui ont les connaissances de son art.
>
> L.T. BERLINGUET,
> architecte»[111]

---

[105] *Ibid.*: no 4382, *Transport par Vincent Chartrand à Pierre Salomon Marquet* (4.10.1834)

[106] IOA, L'Islet: Livre de comptes III (commencé en 1816)

[107] ANQM, Greffe du notaire J.B. Constantin: no 2900, *Société Entre J.R. Dumas et J.B. Baret* (7.8.1824)

[108] ANQM, Greffe du notaire André Jobin: no 3647, *Marché*... (13.3.1825)

[109] AJSJ, Greffe du notaire G. Coursolles : no 300, *Marché*... (22.5.1826)

[110] ANQM, Greffe du notaire Michel Charest: no 755, *Marché*... (5.11.1829)

[111] *La Gazette de Québec* (9.11.1831) et *Le Canadien* (9.11.1831)

Trois ans plus tard, Berlinguet dore «le chapiteau du Dôme de la Coupole» de la Salle de Séances à la Chambre d'Assemblée du Bas-Canada[112]. En 1853, il s'engage à dorer les ornements de l'intérieur de l'église de Saint-Roch de Québec[113]. L'année suivante, un des membres de sa famille, Louis Laurent Flavien, qui travaille avec lui à l'église de Saint-Rémi de Napierville, reçoit un petit paiement pour dorure[114]. Enfin, François-Xavier Berlinguet (1830-1916), fils de Louis-Thomas, mieux connu comme architecte, est mentionné dans la liste des sculpteurs et des doreurs dans un annuaire de Québec en 1857-1858[115].

D'autre part, le 7 juillet 1815, Joseph Pépin signe un engagement selon lequel il s'oblige à montrer à Joseph Viau dit Lesperance son «metier & tout ce dont il se mêle dans la sculpture, dorure & menuiserie sans lui en rien cacher». Viau a alors quinze ans et son apprentissage sera d'une durée de huit ans[116]. Les mêmes termes d'entente seront utilisés le même jour de la même année pour l'engagement de Joseph Trudeau qui, âgé de seize ans, sera l'apprenti de Pépin pendant six ans et demi[117].

Paul Rollin et René Saint-James eurent aussi des apprentis auxquels ils promirent notamment d'apprendre l'art de la dorure. Joseph Hurtubise, apprenti de Rollin en 1818, résiliera son engagement l'année suivante[118]. On ignore si Saint-James eut plus de succès avec Louis-Théophile Demers qu'il engagea en 1821. Quoi qu'il en soit, nous croyons utile de citer intégralement le contrat d'engagement de Demers à Saint-James pour mieux illustrer les exigences réciproques d'un tel contrat et la place que la dorure y occupait:

> «Par devant les Notaires de la Province du Bas Canada, résidants dans le District de Montréal Soussignés Fut Présent Louis Demers Ecuyer Notaire résidant au Bourg de la Pointe claire en l'isle de Montréal, Lequel voulant faire le bien et avantage de Louis Theophile Demers son fils, l'a par ces presentes engagé et l'engage en qualité d'apprentif pour le temps et espace de Cinq années finies et révolues, a Compter de ce Jourdhui, (ledit Ls Theop Demers agé de quinze ans & deux mois;) au Sieur Renez Bauvet dt St James Sculpteur, peintre et doreur résidant en la paroisse St Vincent de Paul vulgairement dite les Ecores, à ce présent, lequel a pris retenu ledit Louis Theoph^l^ Demers pour son dit Apprentif, pour le dit l'aps de temps de Cinq années, auquel il promet & s'oblige montrer et enseigner les arts de la sculpture et peinture et le métier de Doreur & tout ce qu'il est en son pouvoir de faire dans les dits Arts et metier, et ledit Louis Theop^l^ Demers à ce présent promet & s'oblige porter toutes attentions et applications

[112] *Journal de la Chambre d'Assemblée du Bas-Canada* (7.3.1835)

[113] IOA, Saint-Roch (Québec): Délibérations des marguilliers

[114] IOA, Saint-Rémi de Napierville: Livre de comptes II (1831-1856)

[115] MLQD (1857-58): 230

[116] ANQM, Greffe du notaire René Boileau: no 3289, *Engagement*... (7.7.1815)

[117] *Ibid.*: no 3290, *Engagement*... (7.7.1815)

[118] ANQM, Greffe du notaire J.B. Constantin: no 1805, *Engagement*... (19.2.1818)

possibles pour apprendre de son mieux tout ce qui lui sera montré et enseigné par sondit Maitre dans les susdits arts & metier, et obéire et faire tout ce qui lui sera commandé de licite & honnête concernant lesdits Arts & metier Soit dans la boutique ou au dehors, par le dit Sieur Renez Bauvet ou la personne qui le représentera, éviter son Dommage l'en avertir sil vient à sa connoissance et enfin faire tout ce qu'un bon et fidel apprentif, doit et est obligé de faire, sans pouvoir s'absenter de la boutique et service de sondit Maître pendant les dites Cinq années, sous les peines portées par les loix & status acet effet, auquel cas d'absence ledit Ls. Demers pere promet & s'oblige faire les perquisitions & demarches possibles pour le trouver & ramener Chez son Maitre pour achever le temps qui resteroit a faire du présent Engagement s'oblige ledit Louis Demers pere d'entretenir son dit fils de hardes, et linge, Chaussure & Coeffure nécessaire pendant le Cour du présent engagement.

«Le présent engagement est ainsi fait à la Charge par ledit Sieur Renez St James de loger, nourrire, Chauffer & eclairer ledit apprentif pendant lesdites Cinq années, le blanchir et racommoder et ce decemment & Convenablement, tel qu'est l'usage dans aucune boutique. Car ainsi Promettant & obligeant & Renonçant &

«Fait et passé au bourg de St Vincent de Paul dans l'isle Jesus en la maison dudit S[r] St James l'An mil huit cent vingt et un le Dixieme Jour du Mois d'octobre avant midi et ont les dites parties signé avec Nous Notaires après Lecture faite/un mot rayé nul; deux renvois approuvés bons.

Ls Demers
René St James
Louis T. Demers
J.B. Constantin
N.P.»[119]

N. Manteht
Not. Pub.

F. LES AUTRES DOREURS DE LA PREMIÈRE MOITIÉ DU XIXe SIÈCLE

Comme nous l'avons vu, Quévillon et ses associés furent très actifs durant le premier quart du XIXe siècle. Parallèlement, d'autres artisans d'importance variable pratiquèrent l'art de la dorure et nombreux furent ceux qui continuèrent à le faire plus tard au cours du siècle.

On se souvient que, dans les Mémoires de l'Hôpital-Général de Montréal pour les années 1800-1802, il était question d'un «Mr Roy dorreur» ayant enseigné son art aux religieuses. Or, il s'agit vraisemblablement de Joseph Roy qui fut actif dans la région de Montréal durant les toutes premières années du siècle. En 1801, il décroche un contrat d'argenture à l'église de Lachenaie; à l'assemblée des marguilliers tenue le 4 octobre,

[119] *Ibid.*: no 2499, *Engt. de Ls Théophile Demers à René St. James Ecuyer* (10.10.1821)

«Lon est Convenu avec mr. joseph roi maître sculpteur qu'il fera huit souches neuves, qu'il réargentera les six grands Chandelliers et le Christ qu'il en fera deux avec le Crucifix pour le banc d'oeuvre imitants les grands et qu'il argentera qu'il en fera deux pour les accolythe argentés qu'il peindra six grandes souches et Deux moyennes, qu'il argentera la lampe et L'encensoir qu'il repeindra Dix Chandeliers de la même peinture que les souche enfin qu'il fera une statue De la S^te^ vierge et argentera le tout pour Six cent vingt quatre livres...»[120].

Ce qui se passe à Lachenaie le 9 juin de l'année suivante nous donne un aperçu du contrôle souvent exercé par les paroisses sur les ouvrages des sculpteurs et doreurs travaillant pour elles, tout en nous confirmant le prestige d'un doreur contemporain dont nous avons déjà parlé, Louis Augustin Wolff:

«A la réquisition De la fabrique De lachenaye D'une part et De m^r^ joseph roi maître sculpteur; m^r^ auguste Woff comme expert en fait D'argenter Demandé par la susditte fabrique et messire Antoine Des forges Curé de st. vincent De paul De L'isle jesus Demandé par m^r^ roi, lesquels ayant examiné les chandelliers que le susdit roi a argenté pour la susditte fabrique nous ont Déclaré que L'ouvrage étoit reçevable, en Conséquence De leur jugements nous avons Délivré le payement au susdit roi et nous trouvons satisfaits De son ouvrage...»[121].

En 1803-1804, nous retrouvons Joseph Roy à Saint-Eustache où il peint et dore un cadre en plus de recevoir des paiements pour des «ouvrages» qui demeurent imprécis[122]. Au cours des mêmes années, il reçoit un total de 240 # des fabriciens de Saint-Marc pour un chandelier, mais on ignore s'il s'agissait de travaux de sculpture ou de dorure[123]. C'est là tout ce que l'on connaît de ses activités.

Le cas de Jean Burges est encore moins clair. On le mentionne comme «peintre doreur» demeurant sur la rue Saint-Flavien à Québec en 1805 et c'est tout[124]. On n'en sait guère plus de Joseph René qui reçut 150 # pour peindre et dorer des étoiles (dans la voûte?) pour l'église de Sainte-Marie de Beauce en 1810[125]. Pour sa part, Jean-Baptiste Roy-Audy (1778 - vers 1848), mieux connu pour ses activités de peintre, aurait fait de la dorure de calèches vers 1810 à Québec[126]. Quant à Urbain Brien dit Desrochers (1780-1860), il se consacra essentiellement à la sculpture. Toutefois, il reçut 36,885 livres de la fabrique de Varennes entre 1811 et 1815 pour des travaux comprenant

---

[120] IOA, Lachenaie: Livre de comptes III (1791-1859)

[121] *Loc. cit.*

[122] IOA, Saint-Eustache: Livre de comptes (1802-1842)

[123] IOA, Saint-Marc-sur-Richelieu: Livre de comptes I (1794-1826): 9 et 12

[124] Joseph-Octave Plessis, *Dénombrement de la paroisse de Québec 1805* dans le *Rapport de l'archiviste de la province de Québec pour 1948-1949:* 162

[125] IOA, Sainte-Marie de Beauce: Livre de comptes I (1766-1831): 166

[126] Harper, *op. cit.:* 274

l'application de feuilles d'or[127]. En 1819, il s'engagea à accomplir de très nombreux ouvrages de sculpture pour l'église de Contrecoeur, ouvrages qui seraient tous peints (fonds) et dorés[128].

Le 28 juin 1811, Michel Glackmeyer est engagé pour cinq ans comme apprenti de Jean-Baptiste Roy-Audy, «maitre menuisier, Peintre, doreur et charron»[129]. Glackmeyer exercera plus tard les métiers de peintre et de doreur. En 1821, à l'église de Saint-François-du-Lac, il dore des tabernacles, des cadres et des balustrades tout en faisant quelques travaux de peinture[130]. Quatre ans plus tard, il dore et peint à nouveau, cette fois pour l'église de l'Île-Dupas[131].

En 1813, le sculpteur David-Fleury David (1793-1841) aurait exécuté des travaux de dorure à l'église de Saint-Louis de Kamouraska avec la collaboration de Louis-Basile David[132]. On lui doit également la dorure de la voûte et des cornes d'abondance de l'église de Sault-au-Récollet vers 1818[133].

Maints doreurs sont demeurés fort obscurs malgré des recherches approfondies[134]. Ainsi en est-il de Pierre Chasseur (1783-1842) qui demeurait au faubourg Saint-Jean à Québec en 1817 et qui argenta des cadres pour la paroisse Notre-Dame de Québec cette année-là[135]. Quant au peintre et sculpteur Chrysostôme Perrault (1793-1829), ses travaux de dorure connus se limitent aux églises de Saint-Jean-Port-Joli (vers 1816), de l'Islet (1816-1819), de Saint-Paul de Joliette (1821-1824) et de Saint-Roch-des-Aulnaies (1822)[136].

Louis-Daniel Finsterer qui passa une grande partie de sa vie à décorer l'église de L'Acadie (Blairfindie) y dora la voûte en 1817-1818, la fabrique lui fournissant notamment l'or, l'argent, la peinture, les fers, l'huile et le mordant[137].

---

[127] IOA, Varennes, Livre de comptes III (1780-1834)

[128] ANQM, Greffe du notaire Alexis C. le Noblet Duplessis: no 1327, *Marché entre Sr. Urbain Desrocher Architecte & Sculpteur Et J. Bte Dupont* (18.2.1819)

[129] AJQ, Greffe du notaire Joseph Planté: no 5751, *Engagement*... (28.6.1811)

[130] IOA, Saint-François-du-Lac: Livre de comptes II (1807-1849)

[131] IOA, dossier Michel Glackmeyer: *Annuaire de Ville-Marie*, t. II, p. 2

[132] Paradis, *op. cit.*: 333-334

[133] IOA, Sault-au-Récollet: Livre de comptes I (1737-1823): 13 et 16

[134] Pour le premier quart du XIXe siècle, Marius Barbeau signale les noms de quelques doreurs dont il ne nous a pas été possible de vérifier l'existence ou les opérations par des documents. D'une part Michel Boucher aurait peinturé et doré la chaire de l'église de Laprairie en 1801 et d'autre part Jean Storg et Chasseur Dangueuse (Pierre Chasseur?) auraient été des doreurs en activité en 1815 (voir SA II: 44-45)

[135] AJQ, Greffe du notaire Joseph Planté: no 7314, *Vente*... (12.5.1817)
Charland, *op. cit.*: 432

[136] Harper, *op. cit.*: 248
IOA, L'Islet: Livre de comptes III (commencé en 1816)
IOA, Saint-Paul de Joliette: Livre de comptes (1784-1850)
IOA, Saint-Roch-des-Aulnaies: Livre de comptes II (1781-1866)

[137] ANQM, Greffe du notaire Pierre Lanctôt: no 1404, *Entreprise & marché par Daniel Finsterer envers la fabrique Blairfindie* (15.5.1817)

Alexis Millette (1793-1870) travailla comme doreur pour les églises de Bécancour, en 1818, et de Yamachiche, en 1836 et en 1841. Dans la première, il dora un tabernacle et un tombeau d'autel; dans la seconde, des croix, des chandeliers et d'autres oeuvres non précisées dans les archives paroissiales[138].

Dans *La Gazette de Québec* du 22 janvier 1824, on mentionne William Annesley, un sculpteur et doreur résidant à Montréal[139].

On connaît beaucoup mieux la vie et les oeuvres de l'architecte et sculpteur de grand talent Thomas Baillairgé (1791-1859). Toutefois, plusieurs ignorent qu'il pratiqua occasionnellement l'art de la dorure. En 1824 et en 1827, il travailla probablement à la dorure de la chaire, du banc d'oeuvre et du retable de l'église Notre-Dame de Québec, en plus de nettoyer la vieille dorure du baldaquin[140]. En 1834, de passage à l'Hôtel-Dieu de Québec, il dora, entre autres, les ornements du lambris du sanctuaire de la chapelle[141]. Finalement, cinq ans plus tard, il dora un cadre et marbra un parement d'autel (destiné à l'église de Sainte-Croix) chez les ursulines de Québec[142].

Dans le deuxième quart du XIXe siècle, Joseph Bailey figure parmi les grands noms de la dorure au Québec. Il fut sculpteur et doreur et il travailla surtout à Québec et dans les environs. En 1828, il propose aux marguilliers de Notre-Dame de Québec de dorer le tabernacle pour la chapelle Sainte-Anne[143]. Cinq ans plus tard, il dore un tabernacle pour la chapelle de l'Hôtel-Dieu de Québec et, l'année suivante, un tombeau d'autel et quatre cadres[144]. Il est intéressant de souligner que la dorure du tabernacle, échelonnée sur deux ans, ne se fit pas sur place mais bien dans l'atelier de l'artiste où il était protégé par une assurance[145]. En 1835, Bailey subit une lourde perte lors de l'incendie de sa maison qui, elle, n'était pas assurée; la même année, il recevait un acompte de la fabrique de Notre-Dame de Foy pour un travail qu'il devait achever l'année suivante, soit la dorure d'un tabernacle et l'argenture de chandeliers[146]. En 1838, on le retrouve dorant trois cadres au monastère des ursulines de Québec; l'année suivante, il y posera des feuilles d'or sur quatre nouveaux cadres[147].

---

[138] IOA, Bécancour: Livre de comptes II
IOA, Yamachiche: Livre de comptes et délibérations (1789-1843)

[139] *La Gazette de Québec* (22.1.1824): 3

[140] IOA, dossier Thomas Baillairgé

[141] AHDQ, *Monastère. Dépenses, (1829-1849):* 96 et *Livre de Compte pour les Recettes et Dépenses de la Communauté de l'Hôtel-Dieu de Québec. 1er janvier 1826:* 144

[142] AMUQ, *Journal 7* (recettes et dépenses): 18 juin 1839

[143] Charland, *op. cit.:* 155. Cette oeuvre aurait finalement été dorée par les soeurs de l'Hôpital-Général de Québec en 1828 (voir l'appendice, I: Québec (Notre-Dame))

[144] AHDQ, *Livre de Compte . . . de l'Hôtel-Dieu de Québec . . .:* 130 et 144

[145] AHDQ, *Monastère. Dépenses, (1829-1849):* (février 1834) 88

[146] *Le Canadien* (28.8.1835): 2
ANDF, *Livre de comptes et de délibérations (1834-1865):* [7] et [11]

[147] AMUQ, *Journal 16* (recettes et dépenses): 23 mai et 27 octobre 1838; 28 janvier 1839

En 1842-1843, on s'étonne de retrouver Bailey à Montréal: l'annuaire de la ville précise qu'il demeure au coin des rues Saint-Dominique et Dorchester[148]. On ne possède aucun témoignage des travaux de dorure qu'il y aurait réalisés. En 1844, il est sans doute de retour à Québec puisque, le 3 décembre, *Le Journal de Québec* signale qu'il vient de faire banqueroute[149]. Trois ans plus tard, il exerce toujours son métier: il dore un tabernacle pour la chapelle de la Sainte-Vierge à l'Hôtel-Dieu de Québec[150]. À cette date, il est possible que son fils James travaille déjà avec lui. En effet, en 1847, les marguilliers de l'Ange-Gardien confient la dorure d'un tabernacle et l'argenture de chandeliers à «Bailey, doreur de Québec». La dorure du cadre du tableau du maître-autel s'ajoutera à ces travaux qui s'échelonneront jusqu'en 1851[151]. Or, Joseph Bailey est décédé en 1849[152] et, cette année-là, son fils James annonce dans *Le Journal de Québec* qu'il prend la relève de son père comme sculpteur et doreur[153] (ill. 14). On peut donc présumer que c'est James qui dore le tabernacle de la chapelle de Saint-Antoine à l'Hôtel-Dieu de Québec en 1849[154]. Deux ans plus tard, son nom apparaît dans *The Canada Directory:* il y est dit sculpteur, doreur et encadreur de miroirs et tableaux, demeurant sur la rue Saint-Jean à Québec[155]. On le mentionnera à nouveau dans un autre annuaire en 1861-1862[156]. Entre

SCULPTURE ET DORURE.

JAMES BAILEY prend la liberté d'informer le public que les deux arts ci-dessus, ci-devant pratiqués par feu JOSEPH BAILEY, son père, le seront à l'avenir par lui-même à la maison neuve située à côté de la boutique de coutellerie de THOMPSON, rue et faubourg Saint.Jean.

Québec, 18 août 1849. 12m.

14) Annonce parue dans *Le Journal de Québec* le 23 août 1849.

---

148 LMD (1842-43): 17

149 *Le Journal de Québec* (3.12.1844): 4

150 AHDQ, *Livre de Compte . . . de l'Hôtel-Dieu de Québec . . .*: 364

151 IOA, Ange-Gardien: Livre de comptes III (1800-1864)

152 *Le Journal de Québec* (9.10.1849): 3; en 1848-49, le nom de J. Bailey fait partie de la liste des sculpteurs dans le MQD en page 149. On y précise que Bailey demeurait au numéro 15 de la rue Sainte-Anne.

153 *Le Journal de Québec* (21.8.1849): 2

154 AHDQ, *Livre de Compte . . . de l'Hôtel-Dieu de Québec . . .*: 406

155 TCD (1851-52): 319

156 CDQ (1861-62): 364

1864 et 1866, il dore le nouveau tabernacle de l'église de Saint-Isidore (Dorchester)[157]. Enfin, quatre ans plus tard, les fabriciens de Saint-Charles de Bellechasse font exécuter un nouveau tabernacle par Alphonse Dion, architecte de Lévis, et ils en confient la dorure à E. Bailey, probablement nul autre que James Bailey[158].

De son côté, l'oeuvre d'Augustin Leblanc (1799-1882) mériterait sans doute d'être mieux connue. Jusqu'à aujourd'hui, on n'a répertorié que deux paroisses où il ait réalisé des travaux de dorure. Or, ceux-ci s'avèrent très substantiels dans les deux cas. À Bécancour, en 1831, il dore tout le sanctuaire pour 2,500 livres. L'année suivante, assisté de Damas Saint-Arnaud, il y pose de l'or dans les chapelles, sur la chaire, sur le banc d'oeuvre et sur les corniches des chapelles et de la nef; les deux hommes reçoivent alors 2,750 livres[159]. Toujours en 1832, Leblanc dore presque tout l'intérieur de l'église de Saint-Grégoire de Nicolet pour la rondelette somme de 8,500 livres[160].

Les travaux de dorure que nous connaissons de Louis-Xavier Leprohon (vers 1800 - après 1860) sont relativement peu importants. En 1852-1853, il sculpte une chaire et un banc d'oeuvre en noyer noir huilé et vernis «avec quelque peu d'or» pour l'église de Repentigny[161]. Le 2 juin 1860, il reçoit $7.50 de la fabrique de Montréal pour trois jours et demi de travail et la fourniture de l'or destiné à un dais[162]. On peut présumer qu'il dora bien d'autres oeuvres dans le deuxième quart du siècle. L'engagement de Ferdinand Jobin en 1834 serait un indice à l'appui de cette hypothèse. En effet, le 24 février, Leprohon promet «de lui enseigner l'art de sculpteur de doreur et la peinture à l'intérieur des édifices» qu'il pourra avoir à décorer durant les trois années et demi de l'apprentissage[163].

À tous ces doreurs de la première moitié du XIXe siècle, il faudrait ajouter les noms de Robert Clow Todd (1809 - vers 1865), de W. & F. McKay, d'Étienne Bercier et de Nicolas Manny qui, sauf peut-être ce dernier, ne semblent pas avoir réalisé d'importants travaux de dorure[164].

---

157 IOA, Saint-Isidore: Livre de comptes I (1845-1915)

158 Côté, *op. cit.*

159 IOA, Bécancour: Livre de comptes II

160 IOA, Saint-Grégoire de Nicolet: Marché . . . (19.6.1832)

161 IOA, Repentigny: Livre de comptes II (1756-1877)

162 IOA, dossier Louis-Xavier Leprohon

163 ANQM, Greffe du notaire Pierre-Joseph David: no 220, *Engagement par F. Jobin à L.X. Leprohon* (24.2.1834)

164 Harper, *op. cit.*: 310-311
ASQ, *Séminaire 182*, no 30 C (facture acquittée par la Congrégation le 4 novembre 1845)
IOA, Beaumont: Livre de comptes III (1847-1902)
R.P. Augustin Leduc, *Beauharnois . . .*: 81

G. UN ART QUI DEVIENT ACCESSOIRE

À quelques exceptions près, les doreurs de la seconde moitié du XIXe siècle ne paraissent pas avoir joué un rôle aussi important que leurs prédécesseurs. La dorure est désormais moins privilégiée dans les églises et davantage réservée aux cadres de tableaux ou de miroirs. Ceci n'empêche évidemment pas les doreurs de se multiplier, l'ornementation de ce genre d'objets connaissant une forte demande. D'autre part, on assiste au cours de cette période à une plus stricte répartition régionale des doreurs, les uns pratiquant leur art à Québec, les autres à Montréal. La seule exception notoire que nous ayions rencontrée est le cas de William H. Smith qui en 1857-1858 a pignon sur rue à Montréal et que l'on retrouve plus tard, en 1863-1864, dans la ville de Québec[165].

Thomas Fournier (1826 - ? vers 1885) pourrait bien être l'un des principaux doreurs de sa période[166]. Les annuaires qui le mentionnent (d'abord comme sculpteur et doreur puis comme encadreur et doreur, à partir de 1878-1879) s'échelonnent — avec quelques intervalles — de 1854 à 1884-1885[167]. Dans l'un d'eux paraît en 1855-1856 l'annonce suivante:

T. FOURNIER
ORNAMENTAL CARVER
AND GILDER,
N° 9,
St. John Street, without.
Has constantly on hand a general assortment of
FRAME MOULDINGS,
of every description,
Family Portraits,
Lithographs,
AND NEEDLE WORK NEETLY FRAMED,
AT EVERY MODERATE PRICES.

Sur une facture acquittée par la Congrégation du Séminaire de Québec en 1850, il s'affichait déjà comme un sculpteur ornemaniste et un doreur se chargeant de l'engagement de «mappes» (cartes) tendues et vernies, de peintures à l'huile, de miroirs, de lithographies, d'ouvrages à l'aiguille et de portraits de

---

[165] TCD (1857-58): 428; CDQ (1863-64): 344

[166] Ne pas confondre avec l'architecte François Fournier, mort à Montmagny en 1865.

[167] MLQD: (1854): 108; (1855-56): 202; (1857-58): 230
CDQ: (1860-61): 341; (1866-67): 389; (1867-68): 340; (1868-69): 343; (1869-70): 353; (1870-71): 355; (1871-72): 370; (1884-85): 23
CDQL: (1874-75): 25; (1875-76): 27; (1876-77): 35; (1877-78): 52; (1878-79): 40; (1879-80): 21; (1883-84): 23; (1884-85): 23
Entre 1880 et 1883, c'est le nom de M.L. Fournier qui remplace celui de Thomas Fournier; toutefois en 1883-84, on revient au prénom Thomas.

famille[168]. En 1863, il y dore un cadre pour $17.00[169]. Il fait de même en 1867 pour $18.00[170] et l'année suivante pour $18.90[171]. Enfin, en juillet 1874, il reçoit $2.60 pour solde de moulures dorées destinées aux propriétés du Séminaire au Petit Cap[172].

*** Le révd. M. N. Bilodeau, curé de Saint-Anaclet, vient d'adresser une lettre de félicitations à MM. Almeras et Ouellet, architectes et doreurs, de cette ville, à propos d'un maître-autel qu'ils viennent de placer dans l'église de cette paroisse. Il vante les matériaux, la main-d'œuvre et le bon goût du fini de l'œuvre qui, au dire des connaisseurs qui l'ont visité, lui donnent une valeur double de ce qu'il a coûté. Il recommande chaleureusement MM. Almeras et Ouellet au patronage des messieurs du clergé. Le maître-autel en question est du genre gothique.

15) Article paru dans *Le Journal de Québec* le 19 juin 1875.

---

168 ASQ, *Séminaire 182*, no 30

169 ASQ, *Journal (1858-1864)*: 425; *Brouillard (1859-1864)*: (18.3.1863)

170 ASQ, *Brouillard (1864-1867)*: (13.9.1867)

171 ASQ, *Brouillard (1868-1874)*: (18.7.1868) 68

172 ASQ, *Journal (1871-1875)*: 430

Les ouvrages de dorure de Louis Alméras (d'origine marseillaise) furent nettement plus remarqués du public que ceux de Fournier. Nous avons des témoignages de ses activités de 1862 à 1891-1892[173]. En 1862-1863, il dore un autel pour la paroisse de Montmagny[174]. Plus tard, entre 1868 et 1870, il est associé à Anaclet Bélanger, un autre doreur[175]. Puis, le 24 juillet 1874, paraît dans *Le Journal de Québec* cet éloge à son endroit:

> «M. Alméras, doreur, de la rue Saint-Jean, vient de livrer à la fabrique de la Malbaie, deux autels dont l'exécution lui fait le plus grand honneur. Le curé de cette paroisse, le Révd. M. Doucet, lui a donné, à ce sujet, le témoignage le plus flatteur, et son opinion est partagée par tous ceux qui ont vu ce beau travail.
>
> M. Alméras est un ouvrier habile et avantageusement connu, en cette ville et ailleurs, et nous nous plaisons à lui rendre justice qui lui est due. Il y a toujours à son atelier un assortiment de gravures religieuses, cadres ovals et autres, moulures de tous les genres, glaces de miroirs, qu'il vend à des prix très-réduits»[176].

Un an plus tard, il reçoit un nouveau témoignage favorable, cette fois pour un travail accompli pour l'église de Saint-Anaclet avec la collaboration de David Ouellet (1844-1915) auquel il ne fut associé qu'un an (ill. 15). En 1877-1878, il dore le nouveau tabernacle de l'église Notre-Dame-des-Victoires de Québec, une oeuvre de Ouellet[177] (ill. 16).

D'abord apprenti-sculpteur de Louis-Thomas Berlinguet, Ouellet allait devenir un des principaux architectes du dernier quart du XIXe siècle. À ce titre, il allait notamment dessiner des intérieurs d'églises et diriger une importante équipe d'artisans dans l'application de ses plans. De 1877 à 1879, Ouellet est mentionné comme sculpteur et doreur dans un annuaire de Québec[179]. En réponse à une lettre du curé Léon Roy de Saint-Louis de Lotbinière en 1877, Ouellet lui propose de faire dorer les lettres d'une plaque de marbre par le doreur Gauthier (dont il sera question plus loin) ou de le faire lui-même lorsqu'il installera un nouveau maître-autel dans l'église. Dans cette missive, il s'engage à faire la dorure de ce dernier au cours de la même année selon un

---

[173] CDQ: (1870-1871): 355; (1871-72): 370; (1873-74): 187; (1881-82): 21; (1884-85): 23
CKD: (1872-73): 133
CDQL: (1874-75): 25; (1876-77): 35; (1877-78): 52; (1878-79): 40; (1882-83): 31
AACQ: (1887-88): 28; (1888-89): 35; (1889-90): 83
BM: (1890-91): 101; (1891-92): 96

[174] IOA, Montmagny: Livre de comptes (1767-1881)

[175] CDQ: (1868-69): 343; (1869-70): 353

[176] *Le Journal de Québec* (24.7.1874): 2

[177] CDQL: (1875-76): 27
Le Journal de Québec (14.1.1878): 2

[178] *Le Journal de Québec* (19.6.1875): 2

[179] CDQL: (1877-78): 52; (1878-79): 40

16) David Ouellet, Tabernacle du maître-autel de l'église Notre-Dame-des-Victoires de Québec, 1877-1878, bois peint et doré par Louis Alméras en 1877-1878.

procédé qui nous semble pour le moins curieux: «La dorure sera fait au bruni à la colle mélangé à la dorure matte à la colle et à l'huile»[180]. Dans la même église, Ouellet aurait fait d'autres ouvrages de dorure dans le choeur et dans la voûte[181]. En 1881, il argente «un set de chandeliers de bois» pour $23.00 à l'église de Laurierville[182]. Quatre ans plus tard, il signe un contrat avec les fabriciens de Bagotville. Pendant quelques années, il y dirige une équipe d'ouvriers comprenant des doreurs et en 1887 il reçoit un paiement pour la dorure d'une statue de saint Alphonse[183]. Enfin, en 1903, David Ouellet est chargé de surveiller un certain B. Vaillancourt qui doit notamment dorer la voûte et le choeur de l'église de Saint-Pierre (I.O.)[184].

Le seul travail de dorure que l'on connaisse du sculpteur Raphaël Giroux (1804-1869) se résume à l'application de feuilles d'or sur quatre cadres de tableaux destinés au sanctuaire de l'église de Les Becquets en 1866[185]. Quant à L. Parant (Léandre Parent?), ses travaux de dorure connus se limitent au Séminaire de Québec de 1867 à 1878. En 1867, il y reçoit divers paiements pour dorer un tabernacle[186]. Quatre ans plus tard, il reçoit un solde de $32.00 pour un autel que fait orner et dorer le Séminaire pour l'Hospice Saint-Joseph[187]. En février et en avril 1875, il dore différents cadres de tableaux[188]. La même année, alors que s'achève la construction de l'université, il exécute la dorure de deux girouettes et de deux boules destinées aux petits dômes[189]. Un an plus tard, toujours en regard de la même construction, il dore la croix du grand dôme[190]. Enfin, il participa à la dorure du cercueil de verre destiné à contenir les restes de monseigneur de Laval en 1878[191].

En 1871, le Séminaire de Québec avait payé $6.50 comme solde de dorure de l'autel de la Maternité, seul ouvrage de ce type que l'on connaisse d'Albert Jolivet[192]. Le nom de ce dernier réapparaît dans quelques annuaires de Québec entre 1875 et 1879. On l'y mentionne variablement comme sculpteur et doreur, comme peintre et décorateur et enfin comme encadreur et doreur[193].

---

[180] IOA, Lotbinière: volume II des archives, pièce 11 (14.11.1877)

[181] IOA, dossier Lotbinière

[182] Archives paroissiales de Laurierville: *Livre des Redditions de comptes . . .*

[183] Archives paroissiales de Bagotville: contrat (25.8.1885);
Grand livre des recettes et dépenses (1848-1946)

[184] IOA, Saint-Pierre (I.O.): Livre de comptes II (1789-1921)

[185] IOA, Les Becquets: Livre de comptes II (1820-1881)

[186] ASQ, *Journal (1865-1870):* 285 et 292; *Brouillard (1864-1867):* (11.4.1867) (4.5.1867)

[187] ASQ, *Brouillard (1868-1874):* 507

[188] ASQ, *Journal (1871-1875):* 527 et 546

[189] ASQ, *Brouillard (1875-1879):* (25.10.1875)

[190] *Ibid.:* (5.7.1876)

[191] *Ibid.:* (7.6.1878)

[192] ASQ, *Brouillard (1868-1874):* 491

[193] CDQL: (1875-76): 27; (1876-77): 35; (1877-78): 52 et 230; (1878-79): 40

Au cours de l'année 1871, le doreur Anaclet Bélanger participe à l'ornementation de deux autels pour le Séminaire de Québec[194]. Il reçoit également un paiement de $6.25 pour des baguettes dorées destinées à un chemin de croix pour le Petit Cap[195]. On se souvient qu'il avait été précédemment l'associé du doreur Alméras entre 1868 et 1870. Toutefois, à partir de cette dernière année, il travaille indépendamment et ce, jusqu'en 1901[196]. Deux ans plus tôt, il s'affichait de la façon suivante dans un annuaire de Québec: «doreur, fabricant de moulures et cadres, importateurs de miroirs, gravures, peintures à l'huile etc».

Parmi les doreurs de la deuxième moitié du XIXe siècle, certains ne nous sont connus que grâce à un travail de dorure. Ainsi en est-il du peintre décorateur Joseph Richer qui dore des petits autels pour l'église de Saint-Hyacinthe en 1873[197] et d'un certain Tardivel travaillant à la dorure du cercueil en verre de monseigneur de Laval au Séminaire de Québec en 1878[198]. Il en va de même pour Chouinard & Lapointe, doreurs et ornemanistes, «Marchands de Miroirs, Chromos, Gravures, Cadres, Moulures, Dorures pour Cadres etc», qui dorent un tabernacle pour la Congrégation du Séminaire de Québec en 1879[199]. D'autre part, vers 1880, Joseph Rousseau peint et dore le maître-autel qu'il avait dessiné pour l'église de Saint-Hughes l'année précédente[200]. Quant à «Geoffroy, doreur», il reçoit $100.00 de la fabrique de Saint-Aimé en 1899 pour des travaux de dorure[201].

Le nom de Morency est bien connu à Québec. Travaillant en association de 1879 à 1896[202], les doreurs Louis et François-Xavier se séparent plus tard pour mener chacun leur barque. Vers 1920, François-Xavier adoptera la raison sociale «La Maison Morency» pour son entreprise située sur la rue Saint-Joseph

---

[194] ASQ, *Journal (1871-1875):* 82 et *Brouillard (1868-1874):* 514. Ce sont les autels de la Maternité et de l'Hospice Saint-Joseph dont il a déjà été question.

[195] ASQ, *Journal (1871-1875):* 430

[196] CDQ: (1870-71): 355; (1871-72): 370; (1884-85): 23; (1885-86): 23
CKD: (1872-73): 133
CDQL: (1874-75): 25; (1875-76): 27; (1876-77): 35; (1877-78): 52; (1878-79): 40; (1882-83): 31; (1883-84): 23
AACQ: (1886-87): 23; (1887-88): 28; (1888-89): 35; (1889-90): 83
BM: (1890-91): 101; (1894-95): 112; (1899-1900): 664 et *348;* (1900-1901): 665

[197] IOA, Saint-Hyacinthe: Etat de compte de Joseph Richer (17.1.1873). En 1909, on le retrouvera à Saint-Aimé, exécutant divers travaux de décoration comprenant de la dorure (Ovide-M.H.Lapalice, *Histoire de la seigneurie Massue . . .*: 286)

[198] ASQ, *Brouillard (1875-1879):* (17.6.1878)

[199] QSA, *Séminaire 182,* no 31e. En 1903, un certain Edmond Lapointe exécutera un travail de dorure pour l'Hôpital-Général de Québec. Il pourrait s'agir de l'associé de Chouinard.

[200] IOA, Saint-Hughes: Livre de comptes II

[201] Lapalice, *op. cit.:* 288. Il pourrait s'agir ici du doreur Louis Geoffre dont le nom apparaît dans des annuaires en 1890-91 (LPQD: 836) et en 1902-03 (LPQD: 1256)

[202] Pour ces années-là, voir les annuaires suivants: CDQL, CDQ, AACQ, LPQD et BM; pour les années subséquentes voir BM et MA

tandis que son frère maintiendra son magasin en activité sur la rue Saint-Jean[203]. Lors de leur dissociation, deux extraits de l'annuaire de Boulanger et Marcotte pour 1897-1898 nous précisaient leurs spécialités dominantes respectives:

> «Morency Louis, sculpteur et doreur, fabricant de moulures et cadres. Importateur de gravures, peintures à l'huile, aquarelles, pastelles, etc...»
> «Morency Xavier, marchand de chromos, gravures, miroirs...»[204]

La maison Gauthier de Québec mériterait sans doute d'être mieux connue. On ne possède pour le moment que des indices permettant de croire à un rôle important relativement à l'art de la dorure dans la région de Québec au cours du dernier quart du XIXe siècle et au XXe siècle. Déjà en 1877, David Ouellet recommandait les services de «Monsieur Gauthier» au curé de Lotbinière. En 1892, c'est à Gauthier & frère que revient le privilège de l'ornementation de deux statues de Louis Jobin, un saint Joseph et un Sacré-Coeur, destinées à la chapelle de l'Hôpital-Général de Québec[205]. Une partie de ces statues fut dorée. Trois ans plus tard, ils doreront gratuitement la chapelle de Notre-Dame-de-Protection, toujours chez les hospitalières de Québec[206]. Chose curieuse, leur nom n'apparaîtra qu'au début du XXe siècle dans les annuaires de Québec pour s'y maintenir au moins jusqu'en 1935[207]. Dans ceux-ci, on les mentionne comme peintres, décorateurs, vitriers et doreurs.

En 1896, un certain A. Gauvin reçoit successivement $90.00 et $42.00 pour la dorure d'un autel et de seize cadres au Séminaire de Québec[208]. En fait, il pourrait fort bien s'agir ici de Francis P. Gauvin signalé dans *L'indicateur de Québec et Lévis* en 1895-1896; on y précise qu'il se spécialise dans la sculpture de meubles et dans l'ornementation d'églises[209]. L'année suivante, la même publication mentionne qu'il s'occupe de sculpture, d'autels, de reliquaires, de chemins de croix, de dorure, de moulures, de gravures, de miroirs, de chevalets, d'écrans et d'encadrements[210]. Il importe de signaler que l'atelier Gauvin jouera un rôle de tout premier plan quant au maintien de la tradition de la dorure dans les églises du Québec, tant à la fin du XIXe siècle que pour

---

203 BM: (1897-98): 90
MA: (1920-21): 833

204 BM: (1897-98): 432. Il est à noter que dans le LPQD de 1915, on mentionne dans la liste des doreurs (p. 1400) la maison «Morency Frères». On doute qu'il s'agisse ici des mêmes Morency.

205 AHGQ, *Journal (1874-1907):* 432

206 voir le chapitre III: référence no 51

207 BM: (1910-11): 794 et *526*; (1915-16): 814
LPQD: (1915): 1697
MA: (1920-21): 833; (1925-26): 1046; (1930-31): 111; (1935-36): 75

208 ASQ, *Brouillard (1893-1896):* (1.8.1896)

209 BM: (1895-96): 329

210 BM: (1896-97): 84 et *328*

la première moitié du XXe[211]. Malheureusement, comme cette période est peu connue des historiens de l'art du Québec et que le dépouillement des archives paroissiales et civiles de cette époque est à peine amorcé, on manque de précisions quant aux activités de l'atelier Gauvin. On sait seulement que Francis P. Gauvin exécuta et dora les trois autels de l'église de Saint-Charles de Bellechasse en 1918[212].

La situation que nous évoquions à l'instant fait qu'il nous est presque impossible à l'heure actuelle de dégager de grands noms de doreurs depuis la fin du XIXe siècle jusqu'à nos jours. Ceci est rendu d'autant plus malaisé que la liste des doreurs s'allonge dans les annuaires de l'époque. Toutefois, pour plusieurs d'entre eux, la dorure n'est qu'une facette de leurs multiples occupations. Certains sont à la fois tapisseurs (papier-tenture), blanchisseurs, imitateurs, vitriers, peintres, vendeurs de tableaux, doreurs etc. (ill 18 et 19). Désormais, la dorure est loin de suffire à faire vivre celui qui exerce ce métier alors que, jusqu'au milieu du XIXe siècle environ, la majorité des doreurs ne pratiquaient que la sculpture en plus de la dorure. Si on trouve quelques persistances dans la seconde moitié du siècle, on se doit néanmoins de constater que désormais la dorure se confine surtout aux cadres. En 1878, le fait qu'on rejette dans l'annuaire de Québec le générique «Carvers and Gilders» pour lui préférer celui de «Frame makers and gilders» nous confirme ce changement d'orientation[213].

Malgré tout, il nous semble important d'établir une liste des doreurs s'ajoutant à ceux que nous avons déjà rencontrés au cours de la deuxième moitié du XIXe siècle et ce, tant pour la ville de Québec que pour celle de Montréal. Nous ferons voisiner leurs noms des années où ils sont mentionnés dans les annuaires consultés[214], tout en faisant occasionnellement écho à leurs annonces:

Québec:

Bernier, Joseph (1862-1863)

Black, Wm, sculpteur de vaisseau (1874-1878)

Careau, Achille (1890-1891)

Côté, Jean-Baptiste (1834-1907), sculpteur de vaisseau (1874-1878)

Darveau, François (1877-1878)

Dechêne, Napoléon (& Cie) (1886-1890)

[211] voir LPQD: (1902-03): 808
BM: (1897-98): 90; (1898-99): 92; (1899-1900): 664;
(1900-1901):665;(1901-1902):685;(1904-1905):708;(1910-1911):794;(1915-1916):814
SA II: 43

[212] Côté, *op. cit.*

[213] CDQL: (1878-79): 40

[214] Sauf dans le cas d'une référence additionnelle, voir la bibliographie pour retrouver les annuaires correspondant aux années dont il est fait mention.

Fortin, Oscar, encadreur, peintre, dessinateur, marchand de gravures et de chromos (1894-1896)

Henry, Frank ou Francis, fabricant de cadres, moulures, chromos, gravures, miroirs etc. (1889-1890/1894-1897)

Juneau, Augustin (1891-1892)

Lainé dit Lebon, Anselme, peintre à Lévis (1891-1896)

Normand, François (1851-1852/1854-1855/1877-1878)

Rouleau, Thos. (1854-1855)

Ruel, Narcisse O. (1883-1886)

Smith, John (1852/1854-1858)

«JOHN SMITH,
CARVER & GILDER,
LOOKING GLASS & PICTURE FRAME MAKER,
NO. 25, St. John Street, without.
IMPORTER OF LOOKING GLASS PLATES.

Prints and Needle work Framed and Glazed. Window Cornices and Gilt Bordering for Rooms, Painting and Prints Cleaned and Restored, Prints and Maps mounted and Varnished. Paintings and Prints for sale»[215].

Wright, John (1855-1859)

«JOHN WRIGHT
Carver & Gilder,
manufacturer of
Picture and Mirror Frames,
WINDOW CORNICES, &c, &c,
CHURCH, STEAMBOAT & GENERAL
DECORATOR,
LOOKING GLASSES RE-SILVERED,
FRAMES REPAIRED & RE-GILT,
Maps, Mounted & Varnished,
and all sorts of job work executed
with dispatch, in a superior style
of workmanship and at the lowest
possible remunerating prices.
— No. 7, —
St. John Street, without»[216].

[215] Pour l'année 1852, voir Harper, *op. cit.:* 291; l'annonce est parue dans le MLQD en 1854-55.

[216] MLQD: (1855-56): 202

Montréal:

Adams, C.J.T. (1857-1858)

Beaulieu, D.A., peintre, décorateur, vitrier et importateur de tapisseries (1890-1891/1895-1896/1902-1903/1910/1915)

Beaulieu et Rochon, peintres décorateurs (1887)[217]

Benoît, Lucien, décorateur spécialisé en sculpture, dorure, peinture, autels, stations de la croix, dessins, plans et autres travaux destinés aux églises (1885-1903)[218]

Carlisle, Frederick, sculpteur, doreur et vitrier (1851-1852)

Castle & Son (1890-1891/1902-1903/1910/1915)

Denis, L.E., décorateur et doreur (1895-1896)

De Zouche, George E. (& Sons) (1890-1891/1895-1896)

> «Dezouche George C., & Sons, Importers and Dealers in Paper Hangings, Decorations and Window Shades, wholesail and retail, Painting, Graining, Gildings, Glazing, &c . . .»[219].

Gagnier & Lefebvre, successeurs de H.A. Miller (1895-1896)

> «House and Sign Painters, Paper Hangers and Decorators
> Gilding, Glazing, Graining, Whitewashing
> Dealers in Paints, Brushes, Glass, &c . . .»[220].

Guidi, John (1851-1852)

Hilton, J. & W., ébénistes, rembourreurs, sculpteurs, doreurs, importateurs de miroirs et de tissus (1871)

Hope, W.H. (1896-1897/1902-1903)

Kearney, P.J. (1890-1891)

Laurin, G. (& Son) (1890-1891)

Lavoie, O.M. (1890-1891/1902-1903/1910)

Lemieux & Giard, successeurs de J. Alph. Roby, décorateurs, doreurs et peintres de maisons et d'enseignes (1895-1896)[221]

---

[217] *La Presse* (15.9.1887)

[218] Harper, *op. cit.:* 28

[219] LMD: (1895-96): 592

[220] *Ibid.:* 644

[221] Dans le LPQD de 1902-03, on signale A. Giard & Co. dans la liste des doreurs

Lloyd & Roy (ill. 17)	(1850)[222]
Lawley, William, sculpteur, doreur, encadreur de miroirs et de tableaux	(1851-1852)
Lecount, J.	(1851-1852)
Miller & Gagnier: H.A. Miller et P. Gagnier furent peintres de maisons, d'enseignes et de rideaux pour magasins et maisons privées, tapisseurs et décorateurs, doreurs, vitriers, blanchisseurs etc.	(1885)[223]
Miller, H.A.	(1889-1894)[224]
Mondesand, Ant.	(1890-1891)
Morissette & Matard	(1894-1895)
Murphy, John, peintre et décorateur, vendeur de papiers-tentures et de matériel d'artiste, encadreur et doreur	(1890-1891/1893-1896/1902-1903)

Art de decorer.—Nous avons vu dernièrement dans l'établissement de MM. Lloyd et Roy, coin des rues St. Pierre et St. Jacques, des peintures d'ornement et de décor du plus beau fini. Nous avons aussi visité des salons décorés par ces messieurs, et nous pouvons dire que les mûrs, aussi bien que les parois en bois sont peints dans le plus beau style et colorés avec goût. Les spécimens de lettres et de dorure exécutés par ces messieurs, sont des plus beaux que nous ayions jamais vus. Le développement de ces talents artistiques fait grandement honneur à Montréal.

17) Article paru dans *La Minerve* le 12 août 1850.

---

[222] A. Thomas Lloyd (vers 1828-après 1861) fut décorateur et doreur. D'abord associé à Roy, il s'établit à son propre compte en 1861 (Harper, *op. cit.*: 198-199)

[223] *La Patrie* (9.9.1885): 3

[224] voir notamment *La Presse* (13.9.1889) et (8.9.1894)

Noël, E., peintre, restaurateur de cadres en dorure ou en imitation de bois (1877)[225]

Peel, Augustus J., peintre, sculpteur et doreur (1859-1885)[226]

Rheaume, N. (& Bros.) (1896-1897/1910)

Roby, J. Alph. (1872-1895)[227]

Saint-Charles, Napoléon (ill. 18) (1880-1894)[228]

Scott, William (1871/1902-1903/1915)

Simard & Foerster (ill. 19) (1883)[229]

Storer, Charles (1871)

Virolle, Peter (1890-1891/1896-1897/1902-1903)

NAP. ST-CHARLES

316 RUE ST-LAURENT, MONTRÉAL.

PEINTRE-DECORATEUR.

Peintre de maisons, d'enseignes, à Fresques, doreur, tapissier, blanchisseur, vitrier et imitateur.
SPÉCIALITÉS : Décorations d'édifices publics, églises, chapelles, etc. 100—13m

18) Annonce parue dans *La Minerve* le 7 janvier 1892.

---

[225] *La Minerve* (1.2.1877)

[226] Harper, *op. cit.*: 247

[227] Dans le LMD de 1895-96, on précise que l'établissement de la maison Roby remonte à 1872 et que ce sont Lemieux et Giard qui en ont pris la succession.

[228] Harper, *op. cit.*: 277

[229] *La Patrie* (14.9.1883)

GRAVURES, CADRES, Etc.

Simard & Foerster

DOREURS,

FABRICANTS DE

Moulures dorées, imitation de Noyer Noir, Erable et Ebène.

CORNICHES et POLES pour rideaux

Importateurs de GRAVURES SUR ACIER, PHOTO GRAVURES, PEINTURES A L'HUILE et CHROMOS
de toutes sortes en gros et en détail
En stock, un assortiment de GLACES ANGLAISES et ALLEMANDES.

Nos 658 et 660 rue Craig

MONTREAL.

P. S.—Cadres de glaces et de gravures redorés et remis à neuf à bon marché.

19) Annonce parue dans *La Patrie* le 14 septembre 1883.

H. LES PERSISTANCES DE LA DORURE DANS LA PREMIÈRE MOITIÉ DU XXe SIÈCLE

La situation de la dorure ne change guère au cours de la première moitié du XXe siècle. En plus des doreurs de la fin du XIXe siècle qui poursuivent leurs activités, on trouve de nouveaux noms tout aussi obscurs pour la plupart et ce, pour les villes de Québec et de Montréal.

Les nouveaux doreurs travaillant à Québec sont dans l'ordre Ferdinand Gignac, Gaudiose Paradis, La Compagnie Artistique de Québec, Marier & Tremblay, Simard & Frère (Étienne et Jos.), Ismael Vachon, Garant & Thibault, Lorenzo Zannetin, J.A. Belleville et Conrad J. Rousseau[230].

À Montréal, la liste s'allonge: Arthur Bilodeau, W.J. Coughlon, Theo. David, Ed. Leveillé, H. O'Brien, Charles Edlington, J.N. Arcand, la Canadian Art Gallery, Frs. P. Couture, E.P. Ferland, C. Lacroix, J.E. Lecours, Murphy & Son, H. Pepin, C. Bennie, Alph. Charest, Eugène Gervais, Lavoie & Paquette, Mederic Hebert et Paul Lemaitre.

Parmi tous ces noms, rien de très remarquable sauf peut-être le cas d'Eugène Gervais. En plus de s'afficher comme peintre décorateur, tapissier, imitateur et doreur conformément à l'usage, il est le seul de son époque dont nous connaissons les types de dorure qu'il appliquait. Dès 1913-1914, on mentionne dans un annuaire qu'il fait de la dorure à l'huile et à la colle; en 1925-1926, on précise sa spécialité: la dorure brunie et mate[232].

Chez les sculpteurs sur bois assurant la survivance des traditions au début du XXe siècle, il importe de mentionner Louis Jobin (1844-1928) qui exécuta de nombreuses sculptures dorées, l'or s'applicant variablement au bois, au plomb, à la tôle ou au cuivre[233]. Quant aux entreprises se spécialisant dans le décor intérieur des églises, il faut rappeler le rôle de tout premier plan joué par les ateliers Gauvin (de Québec) et Villeneuve (de Saint-Romuald) au cours de la première moitié du XXe siècle[234]. Du côté de Montréal, un rôle analogue fut dévolu aux statuaires et modeleurs Carli. Toutefois, relativement à la dorure, ces derniers se limitèrent essentiellement aux statues (surtout en plâtre) et ce, depuis la fondation de la maison T. Carli vers 1867 jusqu'à 1950 environ, tout en passant par diverses associations entre eux et avec les Petrucci.

M. Louis-André Carli nous a confié que ses prédécesseurs et lui-même ne faisaient pas de dorure à l'or bruni (poli) même s'ils en connaissaient le procédé. Quand ils avaient des demandes en ce sens — assez rarement — ils faisaient faire ce travail par d'autres. Ils pouvaient toutefois réparer l'or bruni sur

---

[230] voir les annuaires du XXe siècle cités en bibliographie

[231] *Loc. cit.*

[232] BM: (1913-1914): 546; (1915-1916): 814 et *585*
MA: (1925-26): *594* et 1046; (1930-31): 111 et *702*

[233] voir Marius Barbeau, *Louis Jobin Statuaire:* 32, 33, 72 à 79, 82, 83 et 86. Ne pas confondre ce sculpteur avec l'entrepreneur-peintre et doreur du même nom qui demeurait à Montréal et qui travailla notamment à l'église de Saint-Sauveur (Québec), en 1943.

[234] SA II: 43

demande. Les Carli pratiquaient surtout la dorure et l'argenture au mordant de la manière suivante:

> «On s'assurait qu'il n'y avait aucun défaut sur la statue achevée et shallaquée. On y appliquait alors un mordant (un vieux vernis) qu'on laissait reposer pendant douze ou vingt-quatre heures (la dorure était plus belle dans ce dernier cas). Après ce délai, on passait le doigt sur la surface. Si le doigt glissait, cela signifiait que la surface n'était pas prête. Si au contraire le doigt rencontrait une certaine résistance la surface était prête à accueillir les feuilles d'or. Celles-ci mesuraient trois pouces carrés et avaient vingt-deux carats. Cet or pouvait avoir différentes tonalités selon le goût du client. Pour appliquer l'or il fallait opérer dans un lieu sans courant d'air car il n'était pas aisé de manoeuvrer avec le coussin et le pinceau des feuilles n'ayant que 1/100,000ième de pouce d'épaisseur.
> La technique de l'argenture était la même que celle de la dorure au mordant sauf que les feuilles d'argent, plus lourdes, étaient plus facilement maniables»[235].

À partir de 1950, les commandes de dorure au mordant se firent de plus en plus rares car la dorure s'adaptait mal au style plus moderne des statues exécutées par l'atelier. Dès lors, on se servit plutôt de ce que l'on appelle couramment de la poudre d'or, c'est-à-dire du bronze en poussière (or en coquille). On le mélangeait avec du «thinner» (diluant) et avec du «lacquer» (vernis-laque) avant de l'appliquer. L'atelier Petrucci & Carli devait fermer ses portes en 1972[236].

I. UN CERTAIN RETOUR AU PASSÉ

Depuis 1950 environ la pratique de l'art de la dorure a beaucoup régressé au Québec. Les goûts ont évolué et les doreurs se sont faits moins nombreux, reculant devant les techniques d'imitation industrielles. Désormais l'application de la dorure sur une grande échelle n'a plus cours que dans les églises anciennes où le vieillissement de l'or exige une restauration ou plus souvent une nouvelle application de feuilles dorées.

À côté des Gagnon et Ferland[236 bis] de Sainte-Marie de Beauce, les doreurs de la maison «Les Arts religieux appliqués Enr.» de Québec ont joué un rôle important dans ce travail de renouvellement. Fondée vers 1955 par Guido Enrico et Mario Mauro, originaires d'Italie, cette entreprise est aujourd'hui dirigée par M. Joseph Soligeo. Elle se consacre à l'art religieux en géné-

---

[235] Entrevue avec Louis-André Carli (père), le 7 septembre 1973

[236] *Loc. cit.* Une maison concurrente, T. Carli-Petrucci Ltée, pratiquait aussi l'art de la dorure. Le 6 mars 1945, un représentant de l'entreprise se rendit à l'église de l'Ancienne-Lorette pour dorer tous les chapiteaux de l'église (Chroniques des trois sacristains Huot de l'Ancienne-Lorette).

[236bis] On trouvera une liste des travaux de l'entrepreneur-peintre Jean Ferland (incluant ceux de dorure) au revers d'une lettre adressée par celui-ci à Gérard Morisset le 20 juillet 1954 et conservée dans le dossier Sainte-Marie de Monnoir de l'IOA.

ral (peinture, fresque, mosaïque, sculpture etc.) et la dorure n'occupe pas une place de premier plan vis-à-vis l'ensemble de ses activités.

Le procédé de dorure utilisé par l'entreprise est sensiblement le même que celui dont firent usage les Carli jusque vers 1950. Toutefois, la dorure coûte beaucoup plus cher aujourd'hui, le prix d'un livret d'or anglais (23¼ carats) étant passé de $35.00 il y a dix ans à $70.00 aujourd'hui. Ajoutons que les principaux doreurs de la maison «Les Arts religieux appliqués Enr.» furent Messieurs Enrico, Mauro, Soligeo et Romano Ferigutti. Considérant que les feuilles d'argent ternissaient très vite, ceux-ci n'exécutèrent pratiquement pas de travaux d'argenture.

Par contre, l'entreprise fut chargée de très importants travaux de dorure dans de plus ou moins vieilles églises du Québec et dans quelques-unes du Nouveau-Brunswick, de Nouvelle-Écosse et de l'Ontario. Chez nous, leurs principaux travaux furent d'abord exécutés dans la chapelle du Collège de Lévis (vers 1956) et dans celle de l'Hôpital-Général de Québec (en 1960). Vers 1963, ils travaillèrent à l'Hôtel-Dieu de Québec, à l'église de Plessisville et surtout à celle de Beaumont où ils redorèrent tout l'intérieur. L'année suivante, ils décrochèrent leur plus gros contrat de dorure avec la restauration de l'église de Saint-Joachim. Un an plus tard, ils dorèrent le mobilier religieux de la chapelle commémorative de Sainte-Anne-de-Beaupré. À ces travaux ajoutons ceux de Loretteville (1966), de Saint-Gervais (1970), de Saint-Anselme (1970), de Beauceville (1973) et de Saint-Alfred de Beauce (1973)[237].

---

[237] Entrevue avec M. Joseph Soligeo, le 5 octobre 1973.

Chapitre III: L'art de la dorure à l'Hôpital-Général de Québec

Au milieu de sa période d'activité, l'atelier de dorure de l'Hôpital-Général de Québec a joué un rôle de tout premier plan dans l'exercice de cet art chez nous. Même s'il présentait de lourdes exigences, celui-ci n'est pas le seul à avoir été pratiqué par les religieuses. Ceci pourrait expliquer en partie les débuts hésitants de l'atelier des doreuses. Industrie très florissante à la fin du XVIIIe siècle et au début du XIXe siècle, la dorure ou «dorerie»[1] allait connaître un long déclin à partir de 1840 environ (fig. 1). L'étude des procédés en usage à l'atelier des hospitalières, de ses importations et ventes d'or et d'argent, du transport de ses ouvrages et des composantes de sa clientèle permettra d'en recréer une image aussi fidèle que possible.

A. LES DIFFÉRENTS TRAVAUX DES RELIGIEUSES

Les religieuses de l'Hôpital-Général ont pratiqué à une plus ou moins grande échelle une dizaine de types de travaux. Ceux-ci étaient surtout destinés aux fabriques de paroisses et aux institutions officielles de Québec. En 1773, l'annaliste des hospitalières faisait déjà écho à un certain nombre d'entre eux:

> «Nous nous employions toujours aux ouvrages pour le dehors, entre lesquels se trouvait un ornement que nous brodâmes pour la fabrique de St Antoine de la Rivière Chambly et pour 300 #; nous fîmes aussi beaucoup de peintures sur damas et pékin et beaucoup de fleurs celles-ci furent l'ouvrage du Noviciat, sans parler de la dorerie, comme à l'ordinaire. Cependant, nous ne nous appliquions pas seulement aux ouvrages de gout et de piété qui sont en effet des occupations de Religieuses, mais nous faisions encore des lavages pour le Gouvernement quand l'occasion s'en présentait. Nous retirâmes près de 1900 # pour ces différentes occupations»[2].

Dès la fondation de l'institution en 1793, les religieuses se consacrèrent aux ouvrages de la «roberie»[3]. Entre 1710 et 1713, elles font du tissage[4] et à partir de 1715 elles réalisent de nombreux ouvrages de broderie[5], certains

---

[1] Dans les archives de l'Hôpital-Général de Québec, le terme «dorerie» est d'un usage plus répandu que le mot «dorure»

[2] ANN II: 266-267

[3] SA II: 21

[4] SA II: 11

[5] SA I: 95-111

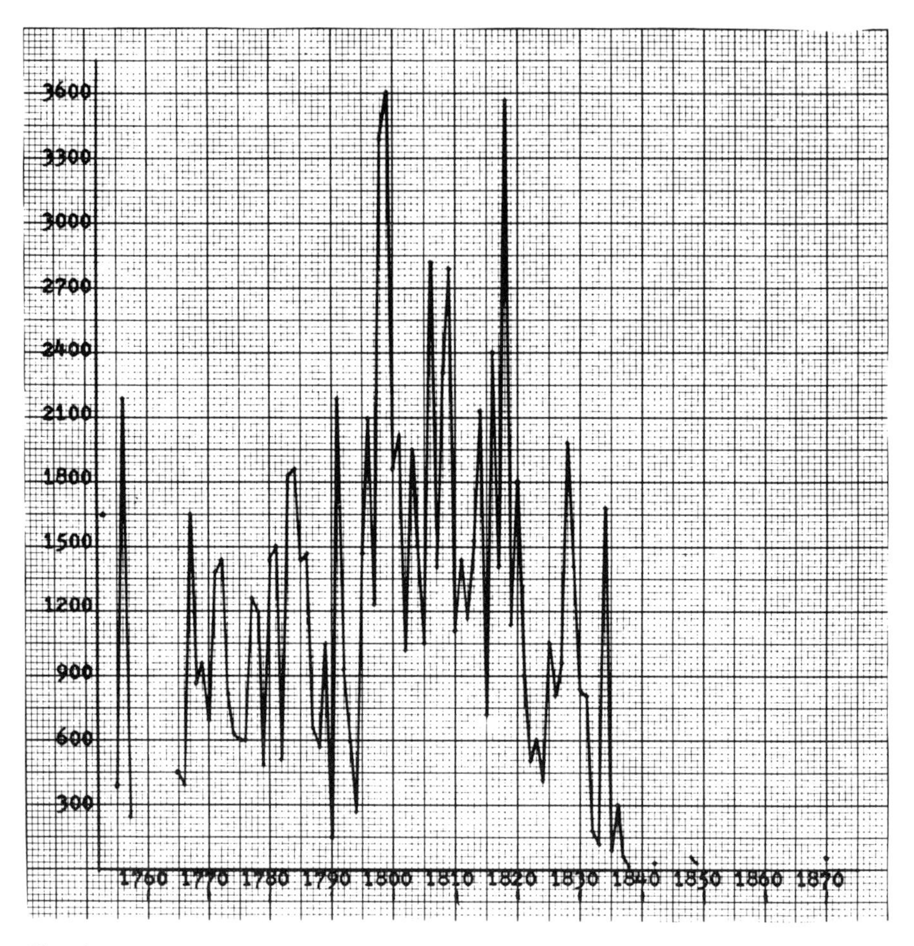

Fig. 1
Graphique des revenus de la dorure à l'Hôpital-Général de Québec (1753-1871)

À la verticale, on trouve les revenus, une unité équivalant à 30 #. À l'horizontale, se succèdent les années. Comme l'année financière des livres de comptes chevauche toujours deux ans, on voudra bien lire, par exemple, 1760 comme 1760-1761 et ainsi de suite, ceci étant conforme à la *Fig. 2*.

étant assez coûteux. Plus tard, elles feront des travaux à l'aiguille et notamment de la «broderie en perle et sur le point»[6]. À côté des ouvrages en écorce[7], elles exécutent de nombreuses fleurs artificielles pour les paroisses à partir de 1760[8]; encore là, les revenus sont assez substantiels comme en fait foi cette mention en 1767: «De la Somme de 118 # 16 Sols reçu des ouvrages de

[6] SA I: 25

[7] SA I: 88

[8] SA II: 78-79

floeurs»[9]. Ce genre d'industrie a d'ailleurs connu de longues persistances pour peu que l'on se fie aux livres de comptes et à la présence du traité de Prevost-Wenzel aux archives de la communauté[10]. À tous ces travaux, ajoutons ceux de peinture[11], ceux du cuir[12], ceux de cire[13], ceux de pâtisserie[14] et ceux de cheveux[15]. Marius Barbeau parle également d'ouvrages de sculpture dans son second livre sur les *Saintes Artisanes*[16]. S'il est certain que les religieuses en réalisèrent quelques-uns, il est fort douteux que ces ouvrages aient connu l'extension que leur prête Barbeau. Celui-ci a souvent interprété comme des travaux de sculpture des travaux de dorure à cause du manque de spécificité de certaines mentions. La comparaison de ces dernières tirées des archives hospitalières à celles qui leur correspondent dans les archives des paroisses nous le confirme. En fait, presque tous les travaux de sculpture sortis de l'atelier de l'Hôpital-Général furent l'oeuvre de la nièce de François-Noël Levasseur, soeur Saint-François d'Assise, aux alentours de 1800.

B. DES DÉBUTS HÉSITANTS

Les débuts des travaux de dorure par les augustines hospitalières furent pour le moins hésitants. On s'explique mal le fait qu'elles aient attendu près de quarante ans avant d'appliquer des procédés que leur avaient appris les ursulines de Québec en 1716. C'est pourtant ce que nous révèlent les annales de la communauté:

> «(. . .) Monseigneur [de Saint-Vallier] toujours occupé de ce qui pouvoit nous être utile pensa qu'il Seroit bon que quelques unes de nous apprissent à travailler En or En Soïe, Et a dorer, L'on choisit ma Sr L'enfant jesus, qui avoit beaucoup de facilite Et de gout, comme les Ursulines réussisoient très bien dans ces sortes d'ouvrages, sa Grandeur les pria de la garder chés-Elles Et lui montrer, ce quelles firent avec plaisir, Elle apprit parfaitement, Et montra Ensuite à nos Soeur, qui travaillent actuellement très bien en or, Et ont brodés des ornements pour notre Eglise . . .»[17].

---

[9] LC (1751-1776): 72 (fol. B)

[10] Prevost-Wenzel fabricant, *L'art de fabriquer des fleurs artificielles en papier en batiste et en mousseline à l'usage des gens du monde contenant des recettes claires, simples, et de l'exécution la plus facile, pour faire toutes sortes de fleurs,* Paris, Chez l'auteur, 1840, 23 p. et 15 pl.

[11] SA II: 54

[12] SA II: 62

[13] SA II: 67 et suiv.

[14] SA II: 97

[15] Surtout au XIXe siècle

[16] SA II: 26 et suiv.

[17] ANN II: 36; monseigneur Jean-Baptiste de la Croix de Chevrières de Saint-Vallier (1653-1727), deuxième évêque de Québec (1688-1727), fut le fondateur de l'Hôpital-Général de Québec (1693) et son premier grand bienfaiteur (DBC: 491-492)

Il se peut que les hospitalières aient d'abord préféré se consacrer à d'autres sortes de travaux plutôt que de s'astreindre aux multiples exigences de la dorure. On peut également suggérer l'hypothèse d'un manque de capital pour l'importation coûteuse et risquée de feuilles d'or en grande quantité ou également celle d'une concurrence impossible à soutenir vis-à-vis le puissant atelier des ursulines. Manquant sans doute d'assurance, les religieuses de l'Hôpital-Général recoururent même aux bons soins des ursulines pour la dorure de leur nouveau tabernacle en 1724-1725:

> «de la somme de 250 # payé pour le dorrement dutabernacle... 250 #
> «payé aux ursulines pour la chevement du payment de la dorure du tabernacle. . .20 #»[18].

Elles payent également un total de 70 # à un doreur (?) pour la dorure du cadre du tableau du maître-autel de leur chapelle:

> [1724-1725] «De la somme de 40 # pour la fasson de la dorure du grand tableau de leglise... 40 # »[19].
> [1727-1728] «De La Somme de trente Livres payez au Dôreur qu'il Luy estoit deub, il y a trois ans, pour la Doreure du cadre du grand autel, pour parfait payement. cy. . .30 #»[20].

En 1728-1729, elles semblent manifester l'intention de se consacrer à des ouvrages de dorure et d'argenture. En effet elles achètent des feuilles d'or et d'argent, des pinceaux, de la terre d'ombre et de l'ocre[21]. Malgré cela, il leur faudra attendre jusqu'en 1753-1754 pour enregistrer leurs premiers revenus de la dorure dans un de leurs livres de comptes: «de la somme de 1636 receu pour les ouvrages de la dorures. . .1636 #»[22]. L'année précédente, elles avaient fait un nouvel achat de feuilles d'or, cette fois pour un montant de 80 # [23].

Cette amorce de travaux de dorure si lente à venir semble avoir été le fruit de l'encouragement de personnages influents de Québec. En effet, le premier client connu des hospitalières est nul autre que l'évêque de Québec, monseigneur de Pontbriand, en 1755-1756: «de la somme de 400 receu de Monseigneur de ponbriand pr facon de dorures pr la cathedral. . .400 #»[24]. L'année suivante c'est au tour de l'intendant d'encourager les doreuses; François Bigot leur confie le soin de dorer sa calèche: «avril 1757 receu de m lintendent pour dorure de caleche. . .72 #»[25]. Les troubles engendrés par la Conquête nous empêchent de mesurer les effets d'entraînement qu'auraient pu avoir ces commandes exemplaires auprès des paroisses. En effet, les curés de

---

[18] J (1718-1838): (1724) et août 1725

[19] LC (1693-1726): 171 (fol. B)

[20] LC (1727-1750): 35

[21] *Ibid.:* 59

[22] LC (1751-1776): (1753-1754)

[23] *Ibid.:* 12 (fol. B)

[24] *Ibid.:* 24

[25] J (1757-1776): avril 1757

Sainte-Famille (I.O.) et de Saint-François de Montmagny sont les seuls autres clients connus à avoir demandé des ouvrages de dorure à l'Hôpital-Général avant la déchirante capitulation de 1759[26]. Chose certaine, les hospitalières auraient été prêtes à assumer de nouvelles commandes si la paix avait été maintenue: en 1755-1756, elles avaient payé 232 # 13 sols pour du blanc d'Espagne et des instruments destinés à la dorure[27].

Quoi qu'il en soit, la Conquête plaça l'Hôpital-Général de Québec dans une situation fort précaire:

> «Le départ des nombreux hôtes de passage civils et militaires qui avaient occupé les diverses parties de la maison, s'opéra petit à petit dans le cours de l'hiver (1760-61). On n'entendit plus le profane langage des camps dans l'enceinte monastique ni sous les parvis du saint temple; les lieux réguliers reprirent leur aspect religieux; l'ordre, le silence, le recueillement, remplacèrent le bruit, les allées et les venues, et les libres allures des gens de guerre. Rendues à elles-mêmes et à leurs occupations, les religieuses purent goûter de nouveau les charmes de la solitude, et toute la douceur qu'apporte la fidèle pratique des observances journalières de la vie du cloître. De l'autre côté, elles purent reconnaître la position dans laquelle elles se trouvaient, et calculer toute l'étendue des pertes qu'elles avaient faites. Au dedans comme au dehors, tout était en décadence: les bâtiments, les jardins, les fermes. Le besoin des choses les plus indispensables se faisait péniblement sentir; le linge manquait, les provisions de bouche étaient épuisées. Les terres autour de la maison avaient subi d'affreux bouleversements: on y avait pratiqué d'énormes fosses pour la sépulture des soldats anglais. Les clôtures avaient été enlevées, et ce n'était partout que dégâts et destruction.
> Mais les comptes de la dépositaire présentaient peut-être de quoi se rassurer, car on se souvient qu'au mois d'avril 1759, l'état des finances était assez satisfaisant. Hélas! depuis lors les choses avaient changé de face. La gratification annuelle du roi n'était pas parvenue à la communauté; tous les autres paiements avaient été également suspendus. Les petites épargnes donc avaient servi depuis longtemps à acheter quelques articles indispensables; puis il avait fallu s'endetter chez les négociants»[28].

Ainsi, la conquête anglaise avait engendré des problèmes économiques sérieux et de grandes destructions. Les églises longeant le fleuve Saint-Laurent n'avaient généralement pas échappé à celles-ci. La paix revenue, il fallait donc réparer ou, dans bien des cas, reconstruire. En quelques années, les édifices religieux se redressèrent et leurs décors intérieurs sculptés furent peu à peu rétablis. Il en découla plusieurs commandes importantes de dorure. Les ursulines ne pouvant sans doute pas suffire seules à la tâche, l'atelier de l'Hôpital-Général vit se dessiner devant lui la perspective d'un marché intéressant. En 1768,

---

[26] voir l'appendice, I

[27] LC (1751-1776): (1755-1756)

[28] Anonyme, *Monseigneur de Saint-Vallier et l'Hôpital-Général de Québec:* 370-371

reprenant à son compte les efforts de ses prédécesseurs, le chanoine Charles de Rigauville[29], confesseur et supérieur de l'Hôpital-Général de Québec, fit même des pressions sur les paroisses pour qu'elles confient de préférence leurs travaux de dorure à l'atelier des hospitalières:

> «(. . .) Il [M. de Rigauville] se donnait toutes sortes de peines pour procurer quelques soulagements à la Maison, il avait mille expédients pour lui attirer quelques avantages ou profit; et même cette première année, il en trouva un qui nous en apporta un très grand; car, l'année n'était pas encore expirée qu'il entreprit le voyage de Montréal, afin d'exposer notre nécessité aux Curés de ce diocèse, et particulièrement dans la vue d'obtenir de ces Messieurs, la préférence des ouvrages de la dorerie. Cette démarche eut tout le succes que son zèle lui en avait fait attendre parce que, outre quelques aumônes en argent, et une assez bonne provision de blé que nous reçumes au printemps de l'année suivante, et une quantité d'ouvrages en dorures; qui, par la suite nous en procurèrent encore davantage»[30].

C. UNE INDUSTRIE FLORISSANTE

C'est ainsi que l'atelier des doreuses de l'Hôpital-Général put se créer de solides assises et rivaliser avec celui des ursulines. En juin 1768, on relève une première mention de travaux d'argenture: on argente une garniture de chandeliers pour l'église de Saint-Laurent (I.O.)[31]. Désormais, chaque année, les doreuses rempliront plusieurs contrats de dorure ou d'argenture pour les paroisses. De passage à Québec en 1785, le voyageur Joseph Hadfield témoigne de la prospérité de l'atelier de l'Hôpital-Général et de la qualité des travaux qu'on y exécute:

> «Les jeunes filles ici s'occupent aux ouvrages à l'aiguille, à la broderie, à la fabrication de fleurs pour les autels, et aux ornements d'église; surtout elles excellent dans l'art de la dorure. Des sculpteurs exécutent des autels, des statues, des chandeliers, etc.; elles les peignent, polissent, et dorent si bien qu'elles leur donnent des airs magnifiques, au point que j'en fus étonné. Elles vendent ensuite ces pièces aux églises paroissiales. Ceci leur donne des fonds pour leurs oeuvres d'infirmières . . . Dans la plupart des salles il y a un petit tabernacle décoré de chandeliers dorés ou argentés, de fleurs, etc . . .»[32].

De 1795 à 1820 environ, les hospitalières verront leur industrie de dorure atteindre une prospérité inégalée (fig. 2). Les clients se multiplient et les travaux sont souvent fort imposants. Malheureusement on sait peu de choses des artisanes qui travaillèrent à l'atelier de dorure au cours de cette période. Les annales ne mentionnent que deux noms, soit ceux de soeur Sainte-Agathe et de soeur Saint-François

---

[29] DBC: 472-473; l'abbé Charles-Régis des Bergères de Rigauville (1724-1780) fut confesseur de l'Hôpital-Général de Québec de 1759 à 1780 et supérieur de cette même institution de 1768 à 1780. Il en fut le deuxième grand bienfaiteur.

[30] ANN II: 218

[31] voir l'appendice, I

[32] Joseph Hadfield traduit et cité par Marius Barbeau dans SA I: 23-24

Fig. 2
Revenus de la dorure à l'Hôpital-Général de Québec (1753-1871)
(*#*: livres / s: sols)
(£: livres / sh: shellings / d: deniers)

Année	Revenu	Année	Revenu
1753-54	1636 #	1805-06	1039 #
1755-56	400 #	1806-07	2807 # 5s
1756-57	2195 #	1807-08	1402 # 16s
1757-58	242 #	1808-09	2300 #
1765-66	546 # 12s	1809-10	2780 #
1766-67	401 #	1810-11	1117 # 2s
1767-68	1649 #	1811-12	1440 # 6s
1768-69	874 #	1812-13	1164 #
1769-70	948 # 10s	1813-14	1523 #
1770-71	687 #	1814-15	2143 #
1771-72	1382 #	1815-16	726 #
1772-73	1439 # 10s	1816-17	2410 #
1773-74	811 # 16s	1817-18	1411 #
1774-75	624 # 16s	1818-19	3557 #
1775-77	1196 #	1819-20	1126 #
1777-78	1274 # 8s	1820-21	1814 #
1778-79	1207 #	1821-22	914 #
1779-80	491 # 4s	1822-23	504 #
1780-81	1452 #	1823-24	611 # 8s
1781-82	1505 #	1824-25	432 #
1782-83	498 #	1825-26	1046 #
1783-84	1831 #	1826-27	803 # 12s
1784-85	1857 #	1827-28	948 #
1785-86	1438 #	1828-29	1973 #
1786-87	1458 #	1829-30	1417 #
1787-88	674 #	1830-31	837 #
1788-89	564 #	1831-32	803 # 2s
1789-90	1053 # 12s	1832-33	173 #
1790-91	157 # 17s	1833-34	113 #
1791-92	2202 #	1834-35	1668 #
1792-93	926 #	1835-36	92 # 8s
1793-94	596 #	1836-37	405 #
1794-95	265 # 10s	1837-38	72 £ .. 7d
1795-96	1460 #	1838-39	18 £ 2sh
1796-97	2085 # 14s	1839-40	5 £ 10sh
1797-98	931 # 16s	1841-42	2 £
1798-99	3383 # 12s	1842-43	25 £
1799-1800	3601 # 7s	1845-46	1 £
1800-01	1869 #	1848-49	50 £
1801-02	2011 # 14s	1850-51	24 £ 2sh
1802-03	1022 #	1859-60	10sh
1803-04	1949 #	1870-71	68 £ 15sh (dorure etc)
1804-05	1507 # 4s		

d'Assise. La première, née Marie Côté, mourut en 1797 à l'âge de trente ans et on dit qu'elle avait un goût et une aptitude spéciale pour la confection des fleurs, des broderies et des dorures[33]. La seconde a eu un rôle beaucoup plus marquant. En plus de remplir les emplois d'infirmière, de sacristine et de maîtresse de classe, elle était fort industrieuse en toutes sortes d'ouvrages, excellant en broderie, en peinture, en dorure et en sculpture[34]. On comprendra mieux de telles aptitudes si on précise qu'elle était la nièce du sculpteur François-Noël Levasseur (1703-1794). Née le 25 septembre 1762, Marie Joseph Hallé était la fille de François Hallé et de Marie Joseph Levasseur. Après avoir étudié chez les ursulines de Québec, elle entra au noviciat de l'Hôpital-Général le 10 février 1781 et y fit sa profession le 13 avril 1782[35].

En 1788, conseillée par son oncle retiré chez les hospitalières, elle contribua grandement à la réalisation d'une chapelle dédiée à Notre-Dame des Anges (ill. 20, 21 et 22):

> «Etant par notre vocation, appelées à remplir auprès des pauvres et des membres souffrants de N.S. Jésus Christ, les mêmes fonctions que les anges députés de Dieu exercent à l'égard des hommes, nous érigeâmes cette année dans le Cloître, pour nous rendre ce souvenir familier, une chapelle dédiée à Notre Dame des Anges. dans laquelle sont représentés plusieurs de ces Esprits Bienheureux rendant leurs hommages à leur Reine. Mr Levasseur la commença en sculptant une statue de la Ste Vierge de trois pieds[36], mais comme notre chère Sr St François sa nièce, avait une aptitude spéciale pour la sculpture, il la lui montra, et réussit si bien qu'elle put achever seule tous les ouvrages de cette chapelle, c'est à dire le gradin, les anges qui entourent la statue, les colonnes, les petites galeries et les chandeliers et en fit aussi les dorures, peintures, fleurs etc.»[37].

Évidemment ce ne fut pas là la seule réalisation de Soeur Saint-François d'Assise. Laissons poursuivre l'annaliste de l'Hôpital-Général de Québec:

> «Un autre objet des ouvrages de cette soeur laborieuse est un devant d'autel qu'elle fit pour notre Eglise, au milieu duquel elle représenta une Colombe qu'elle argenta ainsi que les feuilles de la vigne dont elle l'entoura. Dans la

---

[33] ANN III: 21-22

[34] *Ibid.:* 170

[35] AHGQ, *Journal (1760-1825):* 315-316

[36] La statue qui se trouve aujourd'hui dans la chapelle ne paraît pas être l'oeuvre de Levasseur. Il s'agirait plutôt d'une oeuvre de François Baillairgé (1759-1830) justement exécutée à la demande de la supérieure des hospitalières en 1788. En effet, le 11 février, Baillairgé mentionne dans son *Journal* qu'il lui a promis de faire «une vierge avec un pied en forme de nuage, pour la somme de quatre Loüis; livrable vers pâque, de 3 pied 2 poulces anglois tout». Cette statue fut livrée le 22 mars 1788 et payée le 13 avril de la même année. La description qu'en donne Baillairgé correspond à la statue de la chapelle Notre-Dame des Anges à l'exception de sa hauteur qui est de 3 pieds 1 pouce, un de moins que ne le prévoyait l'auteur de l'oeuvre (voir JFB).

[37] ANN II: 464-465. La chapelle de Notre-Dame des Anges a subi quelques réparations en 1895 (AHGQ, *Journal du dépôt:* 1895), 1912 et 1964 (voir le document conservé dans la chapelle).

20) Soeur Saint-François d'Assise (Marie Joseph Hallé) et François Baillairgé, Chapelle Notre-Dame des Anges, vue d'ensemble, bois doré, argenté et carné, 1788, Hôpital-Général de Québec.

21) François Baillairgé, Chapelle Notre-Dame des Anges, détail: la Vierge, bois doré, argenté et carné, (h. 37 po.), 1788, Hôpital-Général de Québec.

22) Soeur Saint-François d'Assise (Marie Joseph Hallé), Chapelle Notre-Dame des Anges, détail: colonnade du côté droit, bois doré et argenté, 1788, Hôpital-Général de Québec.

suite, en se perfectionnant, elle en fit de semblables pour les paroisses environnantes, ce qui procura un gain considérable à la Comté»[38].

En 1795, elle exécuta un travail de peinture et de dorure assez particulier:

«La Revde Mère Marie Renauld de St Pierre notre Supre fit broder par la Sr Ste Agathe Cote une Etole en or, un velour rouge, et fit confectionner une boëte par notre chere Sr St François Halè, ou le nom de Mgr Denaut était écrit en lettres d'or, et entourée en peinture des songes du Patriarche Joseph, pour être présenté à sa grandeur le jour de son sacre . . .»[39].

L'année suivante, elle sculpte et peint un christ pour la paroisse Les Écureuils[40]. On pourrait également lui attribuer, sans trop de risques d'erreur, des travaux de sculpture exécutés en 1797 pour les paroisses de Saint-Pierre de Montmagny, Notre-Dame de Québec et Saint-Ours de même que pour les missions de la Baie des Chaleurs[41]. On peut aussi présumer qu'elle exécuta plusieurs des travaux de dorure confiés à l'atelier de sa communauté au cours de sa période d'activité la plus fructueuse.

D. UN LONG DÉCLIN

À partir de 1820, on constate une baisse assez sérieuse des revenus de la dorure chez les hospitalières de Québec. Certes, elles continuent à obtenir quelques contrats intéressants mais elles ne connaîtront plus désormais l'affluence des années 1795-1820, à l'exception des années 1828, 1829 et 1834.

En 1824-1825, cent ans après avoir eu recours aux services des doreuses ursulines, elles mettent à profit leur habileté et leur expérience pour la réparation de leur chapelle conventuelle:

«Nous continuâmes encore cette année [1825] les réparations dont la plus remarquable fut celle de l'Eglise qui consista dans le lambrissage de la voûte, enduit glacé des murs, renouvellement des chassis, boisages, peintures et dorures; ce dernier ouvrage ainsi qu'une partie des peintures fut exécuté par les religieuses qui s'y portèrent avec beaucoup de zèle et y employèrent tout l'été et une partie de l'automne pendant lesquels pour avancer l'ouvrage et ne perdre aucun exercice régulier le lever fut avancé d'une heure. Toutes les pièces qui purent être ôtées sans dommage furent transportées à la salle de Comté et le reste fut avec la permission de Monseigneur notre Supérieur doré dans l'Eglise»[42].

Deux ans plus tôt, l'atelier des ursulines avait fermé ses portes. Contrairement à ce que l'on pourrait croire, ceci n'affecta guère les revenus des hospitalières.

---

38 ANN II: 465

39 AHGQ, *Notes diverses, 1686-1866:* 116

40 J (1780-1799): 21.1.1796

41 voir l'appendice, I

42 ANN III: 210

On peut présumer qu'à cette époque le marché de la dorure connaissait une certaine saturation et que les doreurs laïques raflèrent maints contrats que les religieuses auraient naguère obtenus.

À partir de 1835, les travaux des doreuses se font très rares. L'atelier décline plus rapidement. Les revenus sont infimes. À cette baisse des affaires correspondent curieusement des innovations techniques. Ainsi, en 1840, on dore les lettres d'une pierre tombale en marbre[43]:

> «Dans ce printemps on nous apporta la pierre sépulcrale de Mr Villade ancien Curé de la Beauce, afin d'en dorer les lettres qui y étaient gravées. Mr Petitclerc nous donna le secret pour le faire; notre Mère maîtresse (la Mère St Roch) et la Mère St Charles, firent cet ouvrage: le premier de ce genre qui ait été fait dans la maison; la personne qui nous l'avait donné à faire fut très satisfaite de l'exécution»[44].

L'année suivante, on dore un cadre de parement d'autel en utilisant un vernis noir selon un nouveau procédé:

> «On dora le cadre de bois que l'on met aux devants d'autels, au commencement on avait dessin de le faire ressembler au Mahogney nous réussîmes a lui en donner la couleur, et nous dorâmes les feuilles de vigne en mettant du vernis noir, invention nouvelle que nous avions apprise depuis peu: nous apprîmes en même temps à transferer sur le bois»[45].

Dès lors, il est fréquent de voir l'Hôpital-Général traverser des années entières sans obtenir de revenu de l'industrie de la dorure. Ainsi en est-il en 1840-1841, entre 1843 et 1845, entre 1846 et 1848, en 1849-1850, entre 1851 et 1859 de même qu'entre 1860 et 1870. Dans ce contexte, le secret de l'art de la dorure, jusque là précieusement gardé, devenait tout à fait accessoire, d'autant plus qu'il était déjà connu de maints doreurs alors en activité. C'est sans doute pourquoi on consentit à lc confier en 1855 à une communauté religieuse de Montréal en échange d'une technique de dessin:

> «Les Soeurs grises de Montréal voulant apprendre de la Communauté à dorer à la colle, envoyèrent pour cet effet la Sr Rodriguez, qui coucha pendant trois semaines à l'infirmerie des pensionnaires, où elle prenait ses repas avec quelques autres de Québec. Avant de partir elle montra le *Dessin à la Grecque* dont nous désirions le secret pour le pensionnat»[46].

C'est en 1871 que s'éteint l'atelier de dorure de l'Hôpital-Général de Québec: dernier achat d'or[47], dernier revenu[48] et dernier client, les ursulines de Québec[49].

---

[43] voir l'appendice, II: Charles Hamel

[44] AHGQ, *Journal tenu par les Novices:* 26

[45] *Ibid.:* 40-41

[46] AHGQ, *Journal de Pensionnat de l'Hôpital-Général de Québec. 1835-1867:* août 1855

[47] LC (1862-1940): 128

[48] *Ibid.:* 123

[49] J (1866-1892): 3.8.1871

Il est curieux de constater que celles qui originellement enseignèrent l'art de la dorure aux hospitalières finirent par avoir recours à leurs anciennes disciples pour l'exécution de travaux de dorure destinés à satisfaire leurs propres besoins. Ainsi les ursulines auront été présentes à l'origine et à la fin de l'histoire de la dorure chez les hospitalières de Québec.

À partir de 1871, la dorure n'occupa plus de place parmi les travaux des religieuses de l'Hôpital-Général si l'on excepte une vague persistance en 1876. Cette année-là, elles envoyèrent à l'*Exposition internationale de Philadelphie* un bouquet de fleurs et de fruits réalisé par soeur Saint-Augustin, née Élisabeth Rinfret Malouin (1813-1886); le vase de ce bouquet fut doré à la colle de même que des globules de verre (dorés et argentés) imitant des groseilles à grappes. Cette oeuvre devait remporter la «Médaille Internationale»[50]. Malgré tout, ce succès avait une portée limitée et il n'avait absolument rien pour susciter une quelconque relance de l'industrie de la dorure. Au contraire, les religieuses perdirent très vite l'habitude de dorer. En 1892 et 1895, elles auront recours aux services de la compagnie Gauthier & frère pour l'exécution de travaux de dorure destinés à leur chapelle conventuelle et à la chapelle de Notre-Dame de la Protection[51]. En 1903, c'est Edouard Lapointe de Québec qui dorera gratuitement l'autel dessiné par David Ouellet pour l'infirmerie de l'Hôpital-Général[52].

23) ? François-Noël et Jean-Baptiste Levasseur, Ancien tabernacle du maître-autel de l'église de Saint-Vallier, vers 1767, bois peint et doré par les augustines de l'Hôpital-Général de Québec en 1768; détruit dans un incendie le 25 janvier 1931.

[50] AHGQ, *Journal (1874-1907):* 127

[51] *Ibid.:* 439 et *Journal du dépôt:* (1895)

[52] AHGQ, *Journal du dépôt:* (1903) et *Journal (1874-1907):* 644

E. LES OEUVRES ET LES PROCÉDÉS

De l'atelier de dorure de l'Hôpital-Général de Québec sont sortis des objets fort variés dont certains en assez grand nombre: au moins 345 cadres, 115 garnitures de chandeliers, 102 croix, 89 tabernacles, 78 pots à fleurs, 65 statues etc. (ill. 23 à 27). La *figure 3* présente un tableau chronologique, numérique et cumulatif des objets dorés par les hospitalières entre 1753 et 1871. Dans la *figure 4,* on verra d'autre part un tableau des objets qui ne sont mentionnés qu'à une seule occasion dans toutes les sources que nous avons consultées.

Le *journal des recettes et des dépenses* des hospitalières fait état d'une bonne vingtaine d'ingrédients et de plusieurs instruments dont firent usage les artisanes pour leurs travaux de dorure et d'argenture (fig. 5). Elles réalisèrent aussi un certain nombre d'ouvrages de carnation, le plus souvent pour des sections de sculptures en majeure partie dorées ou argentées. Parmi eux, mentionnons ceux qui furent exécutés pour l'Ancienne-Lorette (1809), Deschambault (1798), Les Écureuils (1796-1797), Notre-Dame de Québec (1795, 1798-1800), Saint-Charles de Bellechasse (1783), Saint-Denis-sur-Richelieu (1784), Saint-François de Montmagny (1791), Saint-François (I.O.) (1798 et 1803) et Saint-Pierre (I.O.) (1766)[53].

L'atelier des hospitalières pratiqua les deux grandes techniques dont il était question dans le premier chapitre: la dorure à la colle (en détrempe) et la dorure à l'huile. Les archives consultées ne précisent que rarement quel procédé fut employé pour la dorure des oeuvres. Nous n'avons relevé qu'une trentaine de spécifications de ce type se répartissant également entre chacun des procédés[54]. Ces informations sont donc trop fragmentaires pour nous permettre d'affirmer qu'un des deux ait été privilégié au détriment de l'autre. Tout ce que l'on peut dire c'est que la première mention de dorure à l'huile remonte à 1773 (Deschambault) et que le premier témoignage de dorure à la colle se situe en 1800 (Saint-Pierre (I.O.)). On ignore également si les religieuses étaient au fait de ces deux procédés lorsqu'elles commencèrent à dorer en 1753.

Il faut se rappeler ici que les doreuses avaient en mains un traité anonyme datant de 1769 et consacrant un certain nombre de pages à la dorure. Toujours conservé dans les archives de l'Hôpital-Général de Québec, cet ouvrage s'intitule *L'école de la miniature ou l'art d'apprendre a peindre sans maître, Et les Secrets pour faire les plus belles Couleurs*. Il en fut question dans notre premier chapitre[55]. Aux procédés de dorure contenus dans ce traité, s'en ajoutent deux non datés qui sont beaucoup plus sommaires et nettement plus tardifs. Il se pourrait même qu'ils aient été colligés après la fermeture de l'atelier en 1871. Retrouvés au milieu de notes diverses aux archives de l'Hôpital-Général de Québec, ils témoignent de l'existence de procédés d'assez piètre qualité à la fin du XIXe siècle au Québec et ce, parallèlement à certaines persistances des excellents procédés traditionnels:

---

[53] voir l'appendice, I

[54] mentions de dorure à la colle: 1800, 1801, 1803, 1809, 1811, 1813, 1816, 1822 et 1829; mentions de dorure à l'huile: 1773, 1779, 1798, 1800, 1801, 1803, 1810, 1812 et 1813.

[55] Cf. pp. 41-46

Fig. 3
Objets dorés à l'Hôpital-Général de Québec (1753-1871)*

ANNÉES objets	1753 1764	1765 1774	1775 1784	1785 1794	1795 1804	1805 1814	1815 1824	1825 1834	1835 1844	1845 1854	1855 1864	1865 1871	TOTAUX
(a) cadres		5	4	3	52	214	17	23	15	10	2		345
garnitures de (b) chandeliers		10	16	21	32	14	11	6	4	1			115
croix (c)		9	15	13	42	8	4	4	6	1			102
tabernacles		14	10	11	25	13	6	8	1	1			89
pots à fleurs (d)			10	12	50				6				78
statues		8	9	10	27	4		1	4	2			65
chandeliers (e)		8			16	8	4	4	2				42
reliquaires			6		5		1		6			4	22
lampes		3	2		4	1	4	2	1				17
chandeliers pascaux		4	4		5	2		1					16
tombeaux d'autel				3	6	2	3	1					15
gradins				2	7	1							10
pommes (pommeaux?)		3			2								5
miroirs			2		1								3
esprits saints (colombes)					2				1				3
retables		1	1										2
pilastres		1				1							2
niches			1		1								2
tours d'autel				1	1								2
paires de lustres					2								2
baptistères					1	1							2
baguettes pour cadres									1	1			2

* Objets dorés, argentés ou carnés.

NOTICE EXPLICATIVE: Tous les objets mentionnés ici se retrouvent au moins à deux reprises dans les différents documents d'archives consultés. Ces chiffres représentent évidemment des minima puisque les livres de comptes ne précisent pas toujours la nature et le nombre des objets dorés. Dans le cas où plusieurs entrées (acomptes et paiement final) concernent un même objet, nous ne retenons que la première d'entre elles. Les objets du tableau ont été relevés à l'unité, à l'exception des gradins, des baguettes pour les cadres et des pilastres qui ont été relevés par nombre d'entrées. Au cours de la période allant de 1753 à 1764, on sait que des ouvrages de dorure furent réalisés à l'Hôpital-Général de Québec mais on ne possède aucune précision quant à leur nature, si l'on excepte la calèche dorée en 1757.

(a) Il s'agit surtout de cadres de tableaux mais il y a aussi quelques cadres pour parements d'autel. Ce sont souvent de fort petits cadres, ce qui explique leur nombre élevé au cours de la période 1805-1814; quatre entrées importantes sont remarquables sous ce chapitre: 34, 74, 31 et 69.

(b) Une garniture de chandeliers comprenait en général six chandeliers; il arrive toutefois qu'elle se compose de quatre ou de huit unités.

(c) Dans les livres de comptes, les croix accompagnent souvent les garnitures de chandeliers. Nous avons cru bon en faire un relevé indépendant. Certaines croix prenaient place au banc d'oeuvre ou encore servaient aux processions.

(d) Les pots à fleurs dorés ont été relevés à l'unité mais on les mentionne généralement par groupes de quatre.

(e) Ces chandeliers ont été relevés à l'unité; bon nombre d'entre eux étaient utilisés par paire au banc d'oeuvre.

Fig. 4
*Objets dorés à mention unique**

* Toutes les entrées sont tirées du Journal des recettes et dépenses de l'HGQ à l'exception de la masse et de la verge noire du Conseil législatif (JFB).

ANNÉE	OBJET	CLIENT
Avril 1757	calèche	Bigot
18.12.1789	devant d'autel	Charlesbourg
27. 4.1793	masse et verge noire	Québec (C.L.)
24. 8.1795	guirlande	Québec (N.D.)
17. 2.1797	«soupiers» de colonnes	Québec (N.D.)
29. 3.1798	colonnes	Québec (N.D.)
23. 9.1801	étoiles	Ancienne-Lorette
23. 7.1802	corbeilles	?
29. 5.1804	herses	Loretteville
22.10.1816	chaire	Loretteville
22.10.1816	banc d'oeuvre	Loretteville
15.11.1820	glands	Ancienne-Lorette
26. 6.1832	bâton de croix	?
1. 6.1840	lettres pour un épitaphe	Sainte-Marie (B.)
1850-1851	«canons» d'autel	Québec (F.S.J.)
11. 6.1851	agneau	Québec (F.S.J.)
11. 6.1851	Saint Nom de Marie	Québec (F.S.J.)

Fig. 5
*Matières et instruments utilisés pour la dorure à l'Hôpital-Général de Québec**

* Ce relevé retrace par ordre chronologique les mentions relatives aux matières et instruments utilisés pour la dorure à l'Hôpital-Général, à travers le Journal des recettes et dépenses de l'HGQ. Nous n'avons relevé ici que la première mention de chaque matière ou instrument, en excluant l'or et l'argent.

10. 4.1766	payez pour la dorrerie pour d'indigot	4 #
6. 6.1766	payez pour faire repasser trois coutau pour la dorreri	1 # 4s
23. 8.1766	payez pour un once de saffran pour la dorrerie	6 #
	payez pour un baris de noir de fumé pour la dorerie	1 # 10s
29. 2.1772	payé pour une demis livre de gomme d'arabie	9 # 12s
	payé pour un once de bleu de prusse idem	1 # 16s
	payé pour une livre de pinture a lhuille pour la dorerie	18s
26. 3.1772	payé pour une demis livre d'Esprit de therebentine pour la dorure	2 # 8s
8. 9.1772	payé pour deux livre de pinture blanche pour la dorerie	11 # 16s
3.10.1772	payé pour six douzaines de pinceaux pour la dorerie	10 # 16s
	payé pour une demis livre de bol a prêté idem	1 # 16s
4. 6.1773	payé pour le raccommodage d'un coquemar pour la dorerie	1 # 16s
6. 8.1773	payé pour 1 # 4s pour de la gomme gute pour la dorerie	37 # 16s
18. 1.1774	payé pour une demis livre de oütte pour la dorrerie	1 # 4s
27. 1.1774	payé pour une livre d'ocre pour la dorure	1 # 4s
18. 6.1774	payé pour une livre de blanc de plomb pour la dorure	12s
	payé pour 2 # d'huille de lin pour jdem	2 #
28. 6.1774	payé pour 6 gobelets et les soucoupes à 6 sols dont 4 pour la dorrure une pour Ma Sr. Joseph une reste au depots	———
10. 7.1777	payé pour du vermillion jdem (dorure)	1 # 16s
4. 5.1778	payé pour une feuille de parsemin pour la dorrerie	1 # 4s
4. 6.1784	païée pour 2 pots pour la dorerie	3 #
11. 8.1784	paiié pour Une Livre d'ocre Et de La Colle forte pour La dorerie	2 #
27. 7.1785	payé pour deux Craïons pour la dorerie à douze sols piéce	1 # 4s
2. 8.1785	payé pour deux livres d'ocre pulvérisé pour la dorerie a six sol	12s
	payé pour un quartron de laque aussi pour la dorerie	1 # 10s
	payé pour de la Colle de poissons pour la dorerie	2 # 8s
18.12.1786	paié pour unne livre de gome Sandarac pour la dorrerie la Some de	13 # 4s
23. 6.1787	paie pour une paire de carde et unne livre de cotton pour la dorrerie	6 #
31. 5.1788	paié pour 280 livres de blandespagne pour la Dorrerie la somme de	45 #
5.12.1791	païeé pour unbaquet pour la dorerie	6 #
26. 6.1792	païeé pour une demy livre de Safran Oriental	48 #
10. 3.1796	paiée pour une livre d'ocre jaune pour la dorerie	12s
11. 7.1798	paiée pour deux douzaines de pinceaux de marthe a trois livre douze Sols, pour la dorerie	7 # 4s

2. 6.1803	payé pour une lb de peinture jaune pour la dorrerie six livres	6 #
30. 6.1810	Payé pour une lb de Safran et une lb de godsize pour la Dorerie.......	70 #
12. 5.1813	Payé pour trois Bouteilles gomme de Sapin une pour L'Apothicairie, une pour la Dorerie et une pour les Animeaux	6 #
11. 7.1828	Payé pour 3 Cotés de Cuir passé en blanc pour la dorerie	54 #
10.10.1857	Poudre pr. la dorerie 2/6	14sh 2d

24) Pierre Émond, Tombeau, tabernacle et cadre du tableau du maître-autel de l'église de Saint-Pierre (I.O.), 1795, bois peint et doré par les augustines de l'Hôpital-Général de Québec en 1795.

25) Pierre Émond, Tabernacle du maître-autel de l'église de Saint-Pierre (I.O.), 1795, bois doré par les augustines de l'Hôpital-Général de Québec en 1795.

26) ? Charles Vézina, Lampe du sanctuaire de l'église de Saint-Pierre (I.O.), bois doré, (diam. 13 po.), 1740. Il est possible que cette lampe ait été argentée par les augustines de l'Hôpital-Général de Québec en 1795 et dorée par la suite.

«**Recette de Mr Lebel**

Pour dorer au bronze appliquer teinture, vernis, quand c'est mordant, jeter or en poudre, laisser sécher puis prendre un pinceau sec et faire tomber la poudre de surplus»

«Pour argenter au mordant / Passer du shellac / avant de / passer le mordant / Mordant-Mixture française / elle met 2 jours à sécher / quand le mordant n'est / pas assez sec l'argent ne relui pas»[56]

F. FEUILLES D'OR ET FEUILLES D'ARGENT

Puisque les feuilles d'or et celles d'argent étaient essentielles à l'exercice du travail des doreuses de l'Hôpital-Général, leur constante disponibilité occupait une place de premier ordre dans les préoccupations de celles-ci. Comme il ne s'agissait pas de matières courantes au Québec, on se devait de les importer d'Europe. Sous le régime français, malgré des activités limitées, les artisanes doreuses firent venir des feuilles d'or par l'intermédiaire de leur agent d'affaires à Paris, monsieur de Saint-Senoch. On conserve de ce dernier une lettre adressée à l'Hôpital-Général le 12 avril 1753; elle illustre jusqu'à quel point les hospitalières manquaient d'expérience en regard des exigences pratiques de la dorure au moment où s'ouvrait leur atelier:

«(. . .) il n'y a que le dernier article qui ma extremement embarassé, l'endroit de vostre lettre qui le concerne estant si mal escrit que personne na pas pu y rien comprendre, comme vous me marquiez mesdames den faire le choix par un doreur, je me suis adressé a un qui est de ma connoissance qui sest figuré que cestoit des feuilles dor preparé que vous demandiez. Il en a fait le choix et je vous en envoye quatre livrets, je souhaite quil aye rencontré juste et que vous en soyez contante, entout cas comme cet objet nest que de douze francs, cela ne fait pas une grande affaire dautant que ces feuilles dor pourront vous servir a autre chose. Jay fait mettre mesdames touttes ces emplettes dans une boiste que jay adressée a monsieur Guillemot vostre correspondant ala Rochelle, je souhaitte quelle vous parvienne a bon port»[57].

Après la Conquête, de nouveaux achats d'or seront effectués entre 1792 et 1798 (fig. 6) mais on ignore qui fera alors affaire avec les religieuses. Sans doute y a-t-il déjà à cette date des marchands de Montréal qui en assurent la vente. En effet, on sait qu'en 1803-1804 les doreuses feront venir au moins cent vingt livrets d'or de Montréal[58]. Pour ces années-là, il s'agit toutefois d'une exception car, à partir de 1798-1799, c'est de Londres que l'on importera des feuilles d'or et des feuilles d'argent. Pendant une vingtaine d'années, une dame Murray demeurant dans la capitale anglaise se chargera d'expédier les précieuses feuilles aux hospitalières de Québec:

---

[56] AHGQ, *Notes sur la médecine et pour dorures et peintures.*

[57] AHGQ, dossier «*Différentes lettres*»: no 27 (lettre de M. de Saint-Senoch aux religieuses de l'Hôpital-Général, écrite à Paris le 12 avril 1753).

[58] LC (1804-1825): 4. Cet achat est mentionné dans la *figure 7*.

Fig. 6
*Achats d'or et d'argent par l'Hôpital-Général de Québec**

* À travers LC et J.

1728-1729	De la somme de 95 # 10s pour un millier D'or et cinq cent D'argent en feüilles, cy	95 # 10s
1735-1736	de la somme de 16 paye pour deux cens feuils dor emploie au meme endroit [église]	16
1752-1753	de la somme de 80 paie pour un millier dor	80 #
1753-1754	de la somme de 80 paie pour un millier dor	80 #
1792-1793	DelaSomme de deux Cens trois livres païée, dont Soixante douze livres pour quatre vingt livrets d'argent avancer et le surplus pour bolle Safran, et autres articles nécessaires pour la dorerie	203 #
1793-1794	Dela Somme de Six Cens Cinquante deux livres huit Sols Sur la quelle-Somme Celle de cinq Cens quatorze livres Seize Sols, est pour l'avance de Cent Cinquante Six livrêts dor, à trois livres SixSols lelivrêt, le surplus pour bolle parchemin, et autres articles pour la dorerie	652 # 8s
1794-1795	DelaSomme de deux Cents livres païée pour l'avance de deux Cents livrêts d'argent	200 #
7. 5.1796	paiée pour Cent Seiz livrets d'argent à vingt Sols, et quatre livrets dor atrois livre Six Sols, le tout pour six chandeliers, et le christ pour le maître autel del'Eglise dela paroisse de québec	129 # 4s
16. 2.1797	païée pour Cent trois livrêts dor pour deux petits tabernacles pour la paroisse St pierre dans le Sud or et blanc à trois livres Six Sols, et Cinq livrêts d'argent pour deux chandeliers a vingt Sols le livret	344 # 18s
12. 7.1797	païée pour Cent Cinquante Cinq livrêts dor à trois livre Six Sols le livret, et Soixante dargent avingt Sols le livret le tout pour deux tabernacles douze chandeliers et trois croix pour l'Eglise de la paroisse de St-Ours, Curé mr hébert	571 # 10s
24.10.1797	païée pour trente trois livrêts dor atrois livre Six Sols pour deux Cadres, et quatorze livrêts dargent à vingt Sols pour deux croix et leur pieds le tout pour l'Eglise de la paroisse St pierre dans leSud	122 # 18s
24.10.1797	païée pour Cinquante Cinq livrêts dor à trois livre six sols, quatre livrêts dargent avingt Sols, et autres fournitures pour les ouvrages de mr Desjardins G.V.	215 # 17s
15. 6.1798	païée pour dixlivrêts dor pour l'ouvrage de l'Eglise de la paroisse de l'ange gardien à trois livre Six s	33 #
15. 6.1798	païée à Compte de livrêts dor fournis pour les ouvrages de dorerie pour l'Eglise de St. françois dans l'jsle dorlean	150 #
19. 6.1798	païée pour douze livrêts dor à trois livre Six Sols et Cinq livrêts d'argent à vingt Sols, pour les ouvrages de mr Desjardins	44 # 12s
28.10.1803	Payé pour deux cents livrets d'argent venus de londre le vingt-deux du présent mois d'octobre la Somme de Cent Soixante quinze livres seize Sols huit ders Envoyés à Mr Caldwell pour l'or et l'argent en feuille mentionné ci devant pr faire tenir a mdme murray à l'ondre la somme de trente neuf livres de vingt quatre francs chaque et dix huit Shellings quatre deniers faisant en livres de vingt Sols la somme de neuf cents cinquante huit livres	958 #
	Compris les assurances des marchandises du printemps	

1803-1804	La Somme de Deux mil Soixante Six livres Seize Sols payé pour l'or et largent en feuille venu de Londre Cette automne	2066 # 16s
1805-1806	La Somme de Cent vingt trois livres payé pour Cent livrets d'argent et deux onces de bouillon or et argent	123 #
1808-1809	La Somme de quatre Cens Soixante et dix Neuf livres, dix Neuf Sols payé pour deux Cens livrets et Cinquante livrets dargent	479 £ 19sh
1850-1851	Payé 20 livrets d'or et autres choses nécessaires pour la Dorure	2£ 12sh 2½d
1854-1855	Payé pour 20 livrets d'or, & 24 feuille de brillant	2 £ 19sh 6d
17. 8.1855	1 paquet d'or 20 livrets	2 £ 7sh 6d
13. 8.1862	or pour la dorerie	2 £
1870-1871	Payé pour 2 paquets d'or pour la dorerie	4 £ 7sh 6d
6. 2.1873	1 paquet d'or pour la dorerie	2 £ 5sh

---

Fig. 7
*Ventes d'or et d'argent par l'Hôpital-Général de Québec**

* À travers LC

1765-66	de la Somme de 6 # recue pour un cens d'or	6 #
1798-99	DelaSomme de trois Cent Six livre dix Sols reçus pour la Sacristie donc quatre vingt dix neuf livre pour les différens Enterremens, Cent quarante neuf livre huit Sols du profit que l'on aretetirée Sur l'or en feüilles que l'on afait venir de londre leSurplus des quêtes et du tronc	306 # 10s
1800-1801	profit sur l'or en feüilles que l'on a fait venir de Londre	207 # 12s
1801-02	Dela somme de deux Cens Cinquante deux livres reçu Sur le profit de l'or En feüilles qu'on a fait venir de londre	252 #
1803-04	La somme de trois cent soixante livres reçu du profit de l'or et argent en feuille venus de londre il y a deux ans	360 #
	La Somme de cinq cent quatre livres Reçu pour la vente de cent vingt livrets d'or que la maison a fait venir de montréal L'été dernier	504 #
1804-05	La Somme de Cinq Cens Soixante deux Reçu de la vente de Cent trois livrets, dor et Cent livrets dargent a quatre franc lor et trente Sols largent.	562 #
1805-06	La Somme de huit Cens quatre vingt dix neuf livres Reçu de lavente de Cent Soixante treize livrets dor a quatre franc le livret, et Cent trente-huit livrets dargent a trente Sols	899 #
1806-07	La Somme de Cinq Cens Soixante et quinze livres Reçu pour Cent trente neuf livres dor recedés a trois Shellings le livrêt et Cinquante livrets d'argent a trente Sols le livrêt	575 #
1808-09	La Somme de Six Cens quarante huit livres reçu de la vante de Cent quatre vingt livrets dor a différens prix	648 #
	La Somme de Soixante et quinze livres reçu dela vente de Cinquante livrets dargent	75 #

«(. . .); cette respectable dame, unie à la famille St-Ours par des liens de parentés[59], a rendu d'importants services à la Comté pendant une vingtaine d'années qu'elle demeura à Londres, en se donnant la peine, sur la demande de Mlle de St Ours, de faire l'achat des effets que nous employions pour la confection des fleurs, ornements d'autels, dorures etc nous en obtenant même très souvent des Négociants le transport gratis ou à très peu de frais, ce qui nous fut non seulement d'un gain considérable mais nous procura l'occasion d'obliger les autres Communautés de Québec»[60].

Compte tenu de leurs coûts élevés, les envois de madame Murray étaient protégés par des assurances[61]. Les quantités expédiées s'avéraient parfois tout à fait considérables. En 1803-1804, par exemple, une expédition de feuilles d'or et de feuilles d'argent se chiffrait à 2066 # 16 sols[62]. Par surcroît, les doreuses accumulèrent de telles réserves qu'elles furent apparemment en mesure de se passer de nouvelles importations entre 1809 et 1850 et de faire des ventes profitables à d'autres communautés de Québec entre 1798 et 1809 (fig. 7). Pour nuancer ces affirmations, il importe de mentionner que les paroisses fournissaient occasionnellement les feuilles d'or ou d'argent que devaient utiliser les religieuses: ce fut notamment le cas pour Notre-Dame de Québec en 1773, pour l'Hôtel-Dieu de Québec en 1779, pour Saint-Martin de l'Île Jésus en 1791, pour Sainte-Marie de Beauce en 1812 et pour le Faubourg Saint-Jean en 1850[63].

En 1753, le livret d'or coûtait 3 #; il en est de même en 1773. Entre 1794 et 1798, il se chiffre à 3 # 6 sols l'unité. En 1800, il coûte 4 # et l'année suivante 4 # 10 sols. Trois ans plus tard on ne charge que 4 # 4 sols le livret au Séminaire de Québec mais en 1812 il en coûte à nouveau 4 # 10 sols, cette fois pour la paroisse de Sainte-Marie de Beauce. Quant au livret d'argent, il s'avère moins coûteux. On l'évalue à 18 sols en 1792-1793. De 1795 à 1799, il se maintient à 1 # l'unité. Coûtant 1 # 10 sols en 1800-1801, son prix passe à environ 1 # 15 sols en 1803[64]. Ce sont là les seules indications que nous révèlent les sources consultées. Ajoutons que les paiements de la clientèle s'effectuaient presque toujours en argent, les monnaies variant occasionnellement. Nous n'avons relevé que deux paiements en nature (blé), l'un par la paroisse de Sainte-Famille (I.O.) en mai 1757, l'autre par la paroisse de Marieville le 26 juillet 1802.

---

[59] voir l'appendice, I: Saint-Ours

[60] ANN III: 190

[61] J (1798-1808): 28.10.1803

[62] voir la *Fig. 6*

[63] voir l'appendice, I

[64] voir la lettre de M. de Saint-Senoch citée plus haut, l'appendice et la *Fig. 6*

27) François et Thomas Baillairgé, Ancien banc d'oeuvre de l'église de Loretteville, détail: médaillon de saint Ambroise, (h. 6 pi. 7⅜ po. x l. 3 pi. 5⅜ po.), vers 1815, bois peint et doré par les augustines de l'Hôpital-Général de Québec en 1816, Musée du Québec.

G. LOCAUX ET TRANSPORT

Étant cloîtrées, les augustines de l'Hôpital-Général n'étaient pas autorisées à se déplacer pour aller réaliser leurs travaux de dorure dans les différentes paroisses ayant recours à leurs services. Les opérations se déroulaient dans leur monastère et plus précisément dans la salle de la communauté[65].

Conséquemment, les objets destinés à la dorure ou à l'argenture devaient être apportés à l'Hôpital-Général d'où, une fois le travail effectué, ils seraient réexpédiés vers les paroisses. Or, ces déplacements n'allaient pas sans problème surtout dans le cas de meubles de grandes dimensions tels les tabernacles et ce, d'autant plus que les paroisses clientes étaient souvent fort éloignées de Québec. Imaginons, par exemple, l'expédition de trois tabernacles pour les missions de la Baie des Chaleurs en 1797, celle d'un tabernacle à Marieville en 1813 ou encore la livraison d'un tabernacle doré à Bouctouche, au Nouveau-Brunswick, en 1849. La plupart des paroisses composant la clientèle des doreuses étaient distribuées le long du fleuve Saint-Laurent de Vaudreuil à Rimouski et aux abords des rivières Chaudière et Richelieu (ill. 28). Ceci explique que l'expédition des oeuvres se faisait généralement par voie fluviale jusqu'à Québec et à partir de Québec. Les ouvrages étaient alors transportés dans des caisses[66]. Dans certains cas, les sculp-

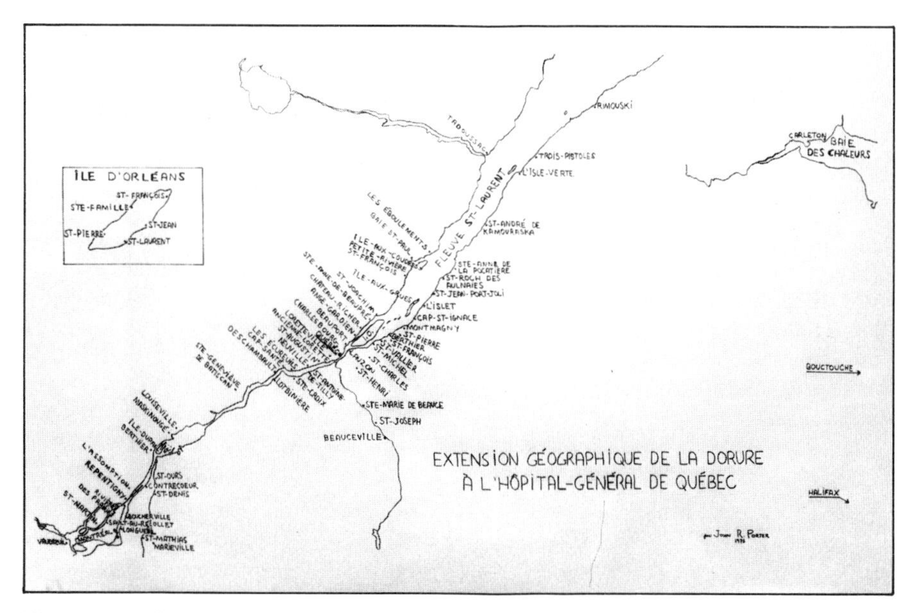

28) Extension géographique de la dorure à l'Hôpital-Général de Québec. L'original de cette carte dessinée par l'auteur a été déposé aux archives de l'Hôpital-Général de Québec.

---

[65] voir ANN II: 252-253 (1770) et ANN III: 148 (1815) et 210 (1825)

[66] voir l'appendice, I: Beauceville, Île-aux-Coudres, Saint-Martin de l'Île Jésus, Saint-Ours et Sault-au-Récollet.

teurs livraient leurs travaux directement aux doreuses sans d'abord passer par les paroisses destinataires. Ainsi en fut-il de François Baillairgé en 1796, qui livra aux hospitalières des tabernacles ultérieurement expédiés à l'église de Saint-Pierre de Montmagny.

Nous avons des témoignages d'expédition d'oeuvres par barque à L'Assomption en 1782 et à Sainte-Marie de Beauce en 1812. Nous avons même relevé un cas de transport sur le fleuve en hiver de l'Hôpital-Général à Lauzon en 1789: on profita sans doute alors du pont de glace entre les deux rives pour ce faire. Les frais de transport étaient assumés par les fabriques de paroisses[67]. Arrivés à Québec, les ouvrages sculptés étaient transportés à l'Hôpital-Général par un charretier[68]. Lorsqu'ils étaient dorés, ce dernier les transportait du monastère au port de Québec[69]. Désireuses de connaître la progression des travaux de dorure leur étant destinés, les paroisses devaient parfois déléguer un représentant à Québec à cet effet: le 22 octobre 1809, les paroissiens de l'Islet payent 1 # 10 sols au «Marguillier jos. Romain Carron pour s'être fait mener à Lhopital général pour Savoir Si le reste du retable des Chapelles de l'Eglise étoit doré»[70].

H. LA CLIENTÈLE

Même si la plupart des travaux de dorure de l'atelier des augustines furent exécutés pour des paroisses, sa clientèle s'avère relativement diversifiée (voir l'appendice). En effet, à côté des soixante et onze paroisses, on relève six communautés religieuses, les missions de Tadoussac et de Carleton, le Conseil législatif de Québec et un certain nombre de particuliers. Ces derniers sont généralement des personnages importants de la ville de Québec et des environs: on retrouve notamment un avocat général, un capitaine de vaisseau, un intendant, un vicaire-général, un seigneur, un médecin, un agent d'affaires et des marchands.

Le client le plus important des religieuses fut sans contredit la paroisse de Notre-Dame de Québec. Les fabriques de l'Ancienne-Lorette, de Lauzon, de Saint-François de Montmagny et de Saint-Pierre (I.O.) leur confièrent également un nombre assez imposant de travaux de dorure. D'anciens chapelains et confesseurs de l'Hôpital-Général, mutés ultérieurement dans des paroisses ou au Séminaire de Québec, y favorisèrent les religieuses dans l'adjudication des travaux de dorure; mentionnons, par exemple, les rôles de l'abbé Pierre Robitaille à Marieville entre 1801 et 1803, de l'abbé Louis Brodeur à Saint-Roch-des-Aulnaies en 1818 et de l'abbé Jean-Baptiste Lahaille du Séminaire de Québec pour Saint-Martin de l'Île Jésus en 1796.

En général, les responsables de contrats de dorure furent des curés de paroisses ou des prêtres desservants. On trouve également de nombreux marguilliers délégués

---

[67] voir, par exemple, les paroisses de Saint-Vallier et de Sault-au-Récollet dans l'appendice, I

[68] voir l'appendice, I: Saint-Martin de l'Île Jésus (29.10.1796)

[69] *Ibid.*: Saint-Ours (1797) et Montmagny (26.10.1803)

[70] *Ibid.*: L'Islet

par leur fabrique et ce, dès 1781 à Montmagny. La responsabilité des uns et des autres donna même lieu à un conflit en 1791-1792: les marguilliers de la fabrique de Maskinongé s'opposèrent alors au curé Antoine Rinfret qui n'avait pas respecté leur décision quant au montant alloué pour des travaux de dorure par les hospitalières; il en coûta 50 # à l'abbé Rinfret pour cette incartade.

D'autre part, plusieurs évêques de Québec adjugèrent aux artisanes augustines des travaux de dorure destinés à la cathédrale Notre-Dame: messeigneurs de Pontbriand, Hubert et Plessis. Un ex-évêque, monseigneur Briand, leur confia pour sa part la responsabilité des ouvrages de sa chapelle privée au Séminaire de Québec.

De plus, on constate une assez grande variété d'intermédiaires entre les clients et les religieuses. Du côté du clergé, parallèlement au rôle joué par le vicaire-général Philippe-Jean-Louis Desjardins pour les églises de la Baie des Chaleurs en 1797, on peut voir celui de plusieurs prêtres du Séminaire pour différentes paroisses: l'abbé Jean-Joseph Roy pour les églises de Saint-Martin (1791) et de Sault-au-Récollet (1794), l'abbé Jean Baptiste Lahaille pour l'église de Saint-Martin (1796) à nouveau et l'abbé Antoine Robert pour les églises de Saint-Martin (1798) encore une fois et de l'Île-Dupas (1800).

En 1821, l'abbé Jérôme Demers, procureur du Séminaire de Québec, sert également d'intermédiaire entre les doreuses et la fabrique de Saint-Joachim de Montmorency, mais c'est à titre d'exécuteur testamentaire de l'abbé Jean-Baptiste Corbin, ancien curé.

Chez les laïcs, on voit des sculpteurs jouer un rôle analogue à celui des membres du clergé. Ainsi en est-il de Jean Baillairgé (1726-1805) pour la paroisse de Saint-Roch-des-Aulnaies en 1798 et de son fils François pour le Conseil législatif de Québec en 1793 et pour les églises de Saint-Joachim en 1785, de Saint-Pierre de Montmagny en 1796 et en 1798, et de Saint-Antoine-de-Tilly en 1799. On peut attribuer une action équivalente au sculpteur Pierre Émond (1738-1808) vis-à-vis de la paroisse Notre-Dame de Québec en 1796 et dans les années subséquentes[71]. D'autre part, en 1797, le chevalier Charles-Louis-Roch de Saint-Ours, frère de Jeanne-Geneviève de Saint-Ours, elle-même pensionnaire et bienfaitrice de l'Hôpital-Général, confie d'importants travaux de dorure aux religieuses au nom de la fabrique de Saint-Ours. Comme derniers intermédiaires, ajoutons enfin les marchands François Fortier (L'Islet, 1811), Amiot (Carleton, 1836) et Charles Hamel (Sainte-Marie de Beauce, 1840; Bouctouche, 1849).

---

[71] Charpentier, menuisier et sculpteur, Pierre Émond fut à l'emploi de l'Hôpital-Général de Québec de 1770 à 1808. Il fut également marguillier en charge de la paroisse Notre-Dame de Québec (en 1798) et de sa succursale, Notre-Dame-des-Victoires (en 1797).

29) Anonyme, *Vierge à l'enfant,* bois peint et doré, (h. 18 po.), XVIIIe siècle, Galerie nationale du Canada, Ottawa (# 9996).

Conclusion

Dans l'étude qui s'achève, nous avons cherché à mettre en lumière un secteur de l'art ancien du Québec qui avait été négligé jusqu'ici. Même si la dorure proprement dite nous a paru quelque peu complexe et aride à étudier, il importait d'en cerner les différents procédés. Ceci nous amené à constater la filiation des procédés en usage au Québec par rapport à ceux qui avaient cours en France au XVIIe siècle. Dans le même sens, la constitution de lexiques des matières et instruments utilisés pour la dorure au Québec aura permis d'éclaircir le vocabulaire particulier aux doreurs et doreuses du Québec.

Le matériel documentaire se rapportant à l'histoire de la dorure au Québec est à la fois abondant et limité: abondant par le grand nombre de doreurs et d'ateliers de dorure mentionnés ici et là, limité par la sécheresse des informations disponibles. Malgré cela, nous avons tenté de poser le plus de jalons possibles et d'esquisser les traits d'une évolution générale s'échelonnant du XVIIe siècle à nos jours. Grâce à ces points de repère, d'autres chercheurs pourront sans doute approfondir l'histoire de certains ateliers communautaires ou doreurs laïques, et étudier les mécanismes socio-économiques de la dorure.

Par le biais de longues recherches, nous avons pu réaliser cet objectif dans le cas de l'atelier de dorure de l'Hôpital-Général de Québec. Une étude fouillée nous a permis de dégager divers aspects que l'on ne soupçonnait pas jusqu'à aujourd'hui.

Par delà ceux-ci, il serait intéressant d'aborder la dorure du point de vue socio-culturel et de voir de quelle façon elle fut utilisée. On sait que chez les particuliers elle prit souvent un caractère ostentatoire découlant d'un haut statut social ou encore d'une réussite financière. Dans une église, son utilisation reflétait un état d'esprit analogue, mais se situant à un niveau différent. D'une part, la dorure y traduisait une ferme volonté de donner une équivalence matérielle à la richesse des sentiments qu'entretenait une communauté de fidèles vis-à-vis de son Dieu; d'autre part, elle correspondait fréquemment à un désir de dépasser en éclat et en faste la demeure spirituelle d'une paroisse voisine.

Les doreurs et doreuses ont joué un rôle important dans l'épanouissement de l'art du Québec. Ils ont contribué à souligner les valeurs plastiques et esthétiques de plusieurs de nos oeuvres d'art (ill. 29). Ils ont mis la dernière touche aux décors intérieurs d'une kyrielle d'églises. Dès lors, on ne saurait étudier la sculpture et le décor intérieur de nos édifices religieux sans prendre en considération le travail des doreurs et doreuses. Ainsi, les oeuvres dorées devraient être l'objet d'un soin particulier car trop nombreuses sont celles qui furent couvertes de plusieurs couches de peinture, radicalement décapées ou trop vite redorées. Dans le même sens, il importerait, lorsque la chose est possible, d'essayer prudemment de redécouvrir la dorure première des sculptures, les remettant ainsi dans un état plus conforme à celui de leur origine.

Ottawa, le 3 octobre 1974 — JOHN R. PORTER

APPENDICE
Documents sur la clientèle de l'atelier de dorure de l'Hôpital-Général de Québec*

* Pour chacun des clients de l'atelier de dorure de l'Hôpital-Général de Québec, on trouvera dans les pages suivantes un classement par ordre chronologique des différentes mentions relatives aux travaux effectués. De gauche à droite, on pourra lire la source, la date de la mention, la mention proprement dite et le coût de l'ouvrage. Dans certains cas, la liste des mentions sera suivie des notices biographiques des personnages dont il y aura été question (source, page et notice).

I — Paroisses, missions, communautés et institutions

Ancienne-Lorette (Québec)

J	31. 3.1791	De la Somme de Cent-huit livres reçue de Mr Dechenaux prêtre Curé de l'ancienne lorette dont Soixante six livres pour les fournitures de six petits pots argentées, et six grands bouquêts pour l'Eglise de la ditte paroisse, et quarante deux livres pour la façon des deux articles	108 #
J	17. 9.1800	Reçus pour lafaçon de dorer ala Colle le Cadre du maître autel de l'Eglise dela paroisse del'ancienne lorrette Mr Deschenaux Curé	230 #
J	23. 9.1801	DelaSomme de quarante Sept livres douze sols, Reçu de Mr Descheneaux prêtre Curé de l'ancienne lorette, pour avoir dorré deux Cent trente huit Etoilles	47 # 12 s
J	1. 9.1803	Reçus de mr Descheneaux prêtre et curé de Lancienne Lorette pour la façon de six chandelliers et une croix argente Cinquante francs	50 #
J	16. 9.1807	Reçu pour façon d'une garniture de Chandelliers argentées pour la paroisse de Lorette	66 #
J	24.12.1807	Reçu pour façon d'une garniture de Chandeliers pour la Parroisse de L'ancienne Lorette	210 #
J	30. 1.1809	Reçu pour façon dun tabernacle doré a la Cole pour l'ancienne lorette, Compris le lavage du dit tabernacle doublure des Custodes et les Carnations de deux Statuts	958 #

J	5.12.1818	Reçu pour la Dorure de deux petits Tabernacles dix Chandeliers argente, deux Cristes et deux lampes le tout pour L'ancienne Lorette	1032 #
J	15.11.1820	Reçu pour La façon de Cinq Cadre, & Six Glands pour, La Paroisse de L'ancienne Lorette	136 #
J	31. 9.1821	Reçu pour La façon de Quatre Cadres doré à L'huile pour La Fabrique de L'ancienne Lorette	162 #
J	7. 2.1822	Reçu pour La façon de Deux Cadres pour La Fabrique de L'ancienne Lorette	96 #
J	19. 3.1822	Reçu pour La façon de Deux Lampes pour La Fabrique de L'ancienne Lorette	36 #
DBC	p. 161	Deschenaux (l'abbé Charles-Joseph Brassard-) (1752-1832), curé de l'Ancienne-Lorette (1786-1832) avec desserte de Notre-Dame de Foy (1791-1795, 1800-1802, 1810-1811)	

Ange-Gardien (co. Montmorency)

J	15. 6.1798	Reçus de Mr Raymbault curé de l'ange gardien pour façon de quelqu'ouvrage de dorerie pour la dite Eglise trente huit livre neuf sols, et trente une livre sept sols pour neuf livrêts et demy dor à trois livre six Sols fournir pour les dits ouvrages	69 # 16 s
J	18. 6.1804	Reçu pour façon de deux Cadres doré a l'huile Et deux lempes argenté pour la paroisse de l ange gardien cent quatre vingt huit livres	188 #
DBC	p. 462	Raimbault (l'abbé Jean) (1770-1841), curé de l'Ange-Gardien-de-Montmorency (1797-1805)	

Baie des chaleurs*
*** (voir Carleton)**

J	24.10.1797	Reçus de Mr Desjardins Vicaire général du Diocése pour parfaits païement des ouvrages qu'il à fait faire pour les Eglise, dans l'abaïe des chaleurs, pour façon de dorer et pindre en partie trois tabernacle quatre Cent Livre, pour la ménuserie pour les raccommoder Soixante dix livre, pour fourniture de Cinquante Cinq livrêts dor atrois livre six Sols, et quatre livrets d'argent à vingt Sols Cent	

		quatre vingt Cinq livre dix Sols, pour dentelle d'argent, ferrures, et autres fourniture trente livre sept Sols, entout pour Six Cent quatre vingt Cinq livre dix sept Sols	685 # 17 s
J	15. 7.1836	de la dorure d'une lampe pour la baye des chaleur	21 £
DBC	pp. 164-165	Desjardins (l'abbé Philippe-Jean-Louis) (1753-1833), grand-vicaire du diocèse de Québec (1794-1802)	

Baie-Saint-Paul (co. Charlevoix)

J	12.10.1786	reçu pour le payment dun tabernacle qui a été doré ché nous pour la fabrique de labée St paul la some	500 #
J	15. 6.1804	Reçu pour façon de deux Statues doré a l'huile pour la baye St paul, la somme de	132 #
J	4. 7.1828	Reçu pour façon dune Garniture de Grands Chandeliers pour la Baie St paul	294 £
J	7. 8.1830	Reçu pour la dorure de deux tabernacles pour la Baie St paul	1161 £
J	28. 5.1832	Recu pour la facon de 6 chandéliers argenté pour la paroisse de la Baie St Paul	100 £ 8 sh

Beauceville* (co. Beauce)
*** (Saint-François)**

J	27. 4.1801	Reçus du Sieur jean plante marguillier en charge dela fabrique delaparoisse St françois dans labausse, Cent quarante une livre pour lafaçon d'argenter Six chandeliers et un christ pour l'Eglise dela ditte paroisse, soixante quatre livres quinze Sols pour fournitures de l'argent en feüilles et quatre franc pourla Caisse qui renfermoit le dit ouvrage	209 # 15 s
J	25. 5.1818	Reçu a Compte de la Dorure du Tabernacle de la paroisse St françois Nouvelle Beauce	1200 #
J	1. 8.1819	Reçu pour Le parfait payement des ouvrages de Dorure pour La paroisse de St. François Nouvelle-Beauce	360 #
J	1.11.1823	Reçu à Compte pour la Dorerie D'un Autel pour la Paroisse de St François Nouvelle Bea.	336 #
J	15.10.1824	Reçu en acompte de Mr Primeau sur la Dorie d'une Autel pour la paroisse de St. François	96 #
J	8. 7.1835	(?) d'un reliquaire pour l'Eglise de St. François	12 £

DBC	pp. 449-450	Primeaux (l'abbé Charles-Joseph) (1792-1855), curé de Saint-François-de-Beauce (1816-1826)	

Beauport (Québec)

J	9.11.1773	reçu de Monsieur renault curé de bauport la somme de Soissante édouze livre pour entier payement de six chandellier et unne croix que lon a argente pour la fabrique de la ditte paroisse	72 #
J	14. 2.1777	reçu de la fabrique de beauport pour entier et parfait payement de deux petits tabernacles, huit chandelliers et deux croix que nous à vons dorré	512 #
J	28.11.1778	reçu de Monsieur Renault curé de beauport pour la façon de trois statu pinte	36 #
DBC	p. 467	Renaud (l'abbé Pierre-Simon) (1731-1808), curé de Beauport (1759-1808)	

Berthier-en-Haut (co. Berthier)

J	15. 5.1827	Reçu pour façon dune Garniture de Chandeliers pour La paroisse de Berthier	336 £
IOA	1827	9. grands Chandeliers argentés à la Cole, à L'Hopital général	447 £

Berthier-en-Bas* (co. Montmagny)
*** (voir Saint-François de Montmagny)**

J	17. 7.1778	reçu de Mr Bedard curé de St. françois à conte de l'ouvrages que nous dorons pour berthier	300 #
J	3. 5.1779	reçu a conte de louvrage de Mr Bedard curé de St. fraçois	780 #
J	2. 7.1779	reçu de Mr Bedard Curé de berthier pour parfait paiément de louvrage de dorrure pour la ditte p. roisse plus reçu à conte du retable que nous lui dorrons à lhuille	189 #
J	2. 9.1779	reçu de Mr Bedard curé de St françois pour parfait paiement de son retable doré à lhuille	180 #
J	25. 5.1793	(?) Reçus pour la façon d'une Statut pour la paroisse de Berthier	100 #
DBC	p. 38	Bédard (l'abbé Pierre Laurent) (1729-1810), curé de de Saint-François-de-la-rivière-du-Sud (1752-1810) et missionnaire à Berthier-en-Bas (1765-1766, 1770-1786, 1806-1810)	

Boucherville (co. Chambly)

J	24. 9.1828	(?) Reçu de Mr Tabeau Curé de Boucherville	66 £
DBC	p. 505	Tabeau (monseigneur Pierre-Antoine) (1782-1835), aumônier de l'Hôpital-Général de Québec (1815-1817) et curé de Boucherville (1817-1831)	

Bouctouche (province du Nouveau-Brunswick)

LC	1848-1849	Reçu pour la dorure d'un tabernacle pour Bouctouche, Diocèse de Frédérickton	50 £
J	10. 3.1849	Reçu de Mr Chs Hamel* pour la dorure d'un tabernacle pour la fabrique de Bouctouche Diocèse Nouveau Brunswick	50 £
		* (voir la liste des clients particuliers)	

Cap-Saint-Ignace (co. Montmagny)

J	mars 1768	(?) reçu de St Ignace pour des croix	13 # 10 s
J	12. 6.1780	Reçue pour lafason d'un tabernacle que nous avons dorée pour la paroisse du Cap St Ignace	550 #
J	25. 1.1785	Reçue des l'ouvrage de Dorerie D'une St. vierge doré pour Mr paquète Curé de La paroisse du Cap St. Ignace	30 #
J	1.12.1836	de la dorure d'une colombe pour le cap	6s
J	21. 9.1837	reçu de la fabrique de St Ignace pour reparations des canons de Mr Parent curé de St Ignace pour 4 corbeille a 20/ et la dorure d'un petit cadre	2 £ 9 sh 2 d
DBC	p. 412	Paquet (l'abbé Joseph-Michel) (1755-1810), curé de Cap-Saint-Ignace (1782-1792)	
DBC	p. 415	Parent (l'abbé Étienne-Édouard) (1799-1873), curé de Cap-Saint-Ignace (1833-1840)	

Cap Santé (co. Portneuf)

J	6.10.1778	reçu de Mr. filion curé du camp sonté pour la façon d'une Ste vierge doré pour la fabrique	57 #
DBC	p. 208	Fillion (l'abbé Joseph) (1726-1795), curé de Cap-Santé (1752-1795) et missionnaire à Deschambault (1773-1782)	

Carleton* (co. Bonaventure)
*** (voir Baie des chaleurs)**

J	6. 6.1836	de Mr. Amiot Marchand pour la dorure d'un christe avec son pied pour la mission de Carleton	15 £

Charlesbourg (Québec)

IOA	1776	Pour un chandelier paschal doré a Lhopital General	141 #
J	27. 3.1776	reçu de Monsieur Borel pour la façon d'un chandelier pascal que nous avons doré pour la paroisse de charlebourg	72 #
J	29. 9.1784	Reçue pour la dorure de deux statue pour la paroisse De charlebour la somme de 392″	
J	18.12.1789	De la somme de deux Cens quarante deux livres trois sols reçüe de Mr Derome Curé de charlebourg à compte de son devant d'autel	243 # 3 s
J	10. 2.1790	De la somme de deux-cens-quarante deux livres trois sols reçüe de Mr Derome à Compte de son devant d'autel	243 # 3 s
J	15. 8.1790	Delasomme de deux-cens-vingt-huit livres reçue de la fabrique de laparoisse de charlebourg pour parfait paîement de la façon et fournitures d'un devant d'autel que nous avons doré, et argentée pour la ditte paroisse	228 #
J	17. 9.1790	De la somme de vingt huit livres reçue de mr Derome pour de l'ouvrage	28 #
J	10.11.1790	De la somme de quatre vingt quatre livres reçue de la fabrique de la paroisse de charlebourg dont cinquante quatres livres ont Etées pour les fournitures de six grands bouquêts pour l'Eglise de la ditte paroisse, et le reste pour la façon	84 #
IOA	1790	pour un devant D'autel fait à Lhopital general	480 #
LC	1790-1791	DelaSomme de Cent Cinquante Sept livres, dix Sept Sols, reçue de Mr De rome prêtre Curé de la paroisse de charlesbourg, pour parfait paîement de la façon d'un devant d'autel que nous avons dorez et argentée pour l'Eglise dela ditte paroisse	157 # 17 s
J	1. 7.1830	Reçu pour dorure de deux Cadres doré a l'huile pour la paroisse Charles bourg	24 £
J	8. 2.1836	pour la dorure d'un cadre pour Charles-Bourg	19 £ 10 sh
DBC	p. 65	Borel (l'abbé François) (1727-1792), curé de Charlesbourg (1774-1786)	
DBC	p. 158	Derome (l'abbé Jacques Descarreaux-) (1752-1808), curé de Charlesbourg (1786-1808)	

Château-Richer (co. Montmorency)

J	2. 9.1779	reçu de Mr hubert curé du chateaux Riché pour 6 chandelliers et une croix que nous à vons argenté pour la dit paroisse	91 #
DBC	p. 273	Hubert (l'abbé Pierre-René) (1744-1797), curé de Château-Richer (1777-1797)	

Contrecoeur (co. Verchères)

J	5. 2.1781	Reçu aconte de la façon de dorure du tabernacle de contrecoeur	200 #
J	24. 9.1781	Reçu pour parfaits payement de la façon du tabernacle de Contrecoeur	500 #

Deschambault (co. Portneuf)

J	16. 9.1773	reçu de la fabrique de déchambau pour la fasson de deux petit tabernacle et de deux gariture de chandellier argenté et les tabernacles dorré a lhuile et la fassons d'unne chape	424 #
J	1. 8.1798	Reçus pour lafaçon d'argenter et pindre un christ pour l'Eglise de déchambault dix huit franc, et pour fourniture de quatre livrêts d'argent quatre franc	22 #
J	24.12.1804	Reçu pour façon dune garniture de chandelliers et dune Croix pour la paroisse de dechembault	196 #

Halifax (province de la Nouvelle-Écosse)

J	25. 8.1816	Reçu pour façon dune garniture de chandeliers pour halifax	(?)

Île-aux-Coudres (co. Charlevoix)

IOA	1777	Pour façon de largenterie Payé a Lhopital general	70 #
J	11. 3.1778	reçu de Monsieur Compin curé de ljle au coudre pour la façon de six chandelliers et une croix argenté pour la ditte paroisse	70 #
J	18. 8.1798	Reçus de Mr Augustin germain à l'acquit delafabrique de l'jsle au Coudre pour façon de dorer un tabernacle quatre Cent Cinquante livre, pour dorer et peindre le cadre du maître autel quarante deux livre, pour argenter une lampe quarante huit livre, pour argenter huit chandeliers, et six pots à bouquêts Cinquante deux livre pour fourniture d'un	

		livrêt d'or, et vingt huit livrets d'argent trente une livre Six Sols, pour papier pour doubler la Custode, et le ruban de la clef trois livre quatre Sols, pour la Caisse quinze livre	641 # 10 s
DBC	pp. 128-129	Compain (l'abbé Pierre-Joseph) (1740-1806), curé des Éboulements (1775-1785); curé de l'Île-aux-Coudres (1785-1788). En 1778, l'abbé Compain desservait probablement l'Île-aux-Coudres.	
DBC	pp. 238-239	Germain (révérend père Louis-Antoine Langlois) (1767-1810), curé de l'Île-aux-Coudres (1793-1802)	

Île-aux-Grues (co. Montmagny)

LC	1842-1843	La somme de vingt cinq livres courant reçue de la fabrique de L'Isle aux Grues pour la dorure d'un Tabernacle	25 £
J	6. 7.1843	reçu de la fabrique de L'Isle aux Grues pour la dorure d'un tabernacle	25 £

Île-Dupas (co. Berthier)

J	22. 9.1800	Reçus de Mr Robert prêtre procureur du-Séminaire de Québec à l'acquit delafabrique delaparoisse del'jsle dupas Mr pierre Martel Curé, pour la façon d'argenter Six chandeliers et un christ pour l'Eglise de la Dtte paroisse, Cent Cinquante livre, pour la fourniture de Cinquante un livrêts d'argent à trente Sols, Soixante dix Sept livre Cinq Sols	227 # 5 s
DBC	p. 370	Martel (l'abbé Pierre-René-Ambroise) (1751-1805), curé de Sorel (1775-1805) avec desserte de l'Île-Dupas (1775-1805)	

L'Assomption (co. L'Assomption)

J	16. 9.1773	rçu de Monsieur dégay a Conte des ouvrages de dorure que nous avons pour safabrique	62 #
J	9.11.1773	reçu de Monsieur dégay cent soissante et huit livre a conte des ouvrages de dorures que nous avons pour la paroisse de lasomption	168 #
IOA	1774	Aux Dames religieuses de Québec	500 #
J	22. 9.1774	reçu de Mr Dégé pour parfait payément de sont tabernacle	500 #

IOA	1782	Qu'il a fourni au Dme relligieuse de lhopital genl de Quebec pr avoir doré le petit tabernacle de lange gardien achapt d'or une somme de 200 piastres d'espagne	1200 #
		Au maître de barque pr monter et descendre	36 #
J	15. 5.1784	Reçue de Monsieur Germain au Compte de Monsieur petrimoux Curé de l'assomption sur les six cens livres qu'il redoit sur les Ouvrages de dorerie quil a fait faire jci par un tabernacle Et deux grand Reliquier, la somme de 400″	
J	29. 9.1784	Reçue pour Entiers payment du petit Tabernacle de Mr petrimoux Curé de L'assomption La somme de	200 #
DBC	p. 149	Degeay (l'abbé Jacques) (1717-1774), curé de l'Assomption (1742-1774), d'où en 1772 il fonda Saint-Jacques-de-l'Achigan pour les Acadiens déportés	
HLA	p. 489	Petrimoulx (l'abbé Médard) (1731-1799), curé de l'Assomption (1777-1799)	

Lauzon* (co. Lévis)
*** (Saint-Joseph)**

IOA	1773	a payé aux religieuses de l'hopital general a Compte de cinq cent livres que leur Doit la fabrique pour la dorure du tabernacle	209 # 12 s
J	20.10.1773	reçu de la fabrique de St joseph de la pointe lévie a Conte des ouvrages de dorures que nous avons a elle	24 #
J	9.11.1773	reçu de la fabrique de St joseph de la pointe lévie a conte des ouvrages de dorures que lon a fais pour cette paroisse	186 #
J	30.12.1773	reçu a conte de la façon du tabernacle de la pointe lévis	38 # 16 s
IOA	1774	(acompte de 200 # à l'Hôpital-Général de Québec pour dorure du tabernacle)	200 #
J	17.12.1774	reçu de la fabrique de la pointe de lévis aconte de la façon de sont tabernacle	200 #
IOA	1775	(solde à l'Hôpital-Général de Québec pour la dorure du tabernacle)	84 #
J	3. 9.1775	reçu pour entier et parfait payement du tabernacle de la pointe lévis	84 # 8 s
IOA	1788	(à l'Hôpital-Général de Québec pour la dorure des petits tabernacles)	600 #

		donné aux dames de l'hôpital général encor acompte des tabernacles	214 #	
IOA	1789	pour parfait payement à l'hôpital général au regard de la dorure des petits tabernacles	384 #	
		pr le transport des dits tabernacles de l'Hôpital général jusques à la pointe Levi en hiver	12 #	
J	18. 2.1789	reçu de la fabrique de la pointe de levie la Somme de trois cent livres pour un petit tabernacle que lons a dorré	300 #	
J	13. 3.1790	De la somme de deux-cens-vingt-huit livres reçue de Mr Berthiaume pour la façon de deux garniture de chandeliers Et deux christ argentées pour la paroisse de St joseph ala pointe levi	228 #	
J	8. 3.1798	Reçus de Sr. Michel le mieux marguillier en charge de la paroisse St. Joseph pointe lévi pour façon d'argenter deux chandeliers et un christ pour le banc d'oeuvre de l'Eglise de la Dtte paroisse Cinquante quatre franc, et dix huit franc pour la fourniture de dix huit livrêts d'argent pour le dit ouvrage	72 #	
J	26. 9.1832	Reçu en Acompte pour la facon de la dorure d'un Tabernacle pour la paroisse de la pointe-Levie	603 £	6 sh
DBC	p. 50	Berthiaume (l'abbé Jean-Jacques) (1739-1807), curé de Saint-Joseph-de-Lévis (1775-1794).		

Les Éboulements* (co. Charlevoix)
*** (voir Saint-Antoine-de-Tilly)**

J	7. 5 1800	Reçus de Mr Raphaël paquet prêtre Curé delaparoisse St. Antoine dans le Sud quarante livres quatre Sols pour parfait païement des ouvrages et fournitures que nous avons faites pour l'Eglise des Eboulemens qui se montoient à Cent douze livre quatre Sols nous avions reçus l'année dernière à Compte douze piastres	40 #	4 s
DBC	p. 411	Paquet (l'abbé François-Raphaël) (1762-1836), curé des Éboulements (1791-1798); curé de Saint-Antoine-de-Tilly (1798-1806)		

Les Écureuils* (co. Portneuf)
*** (Donnacona)**

J	21. 1.1796	Reçus pour un christ fait et pein par Ma Sr St françois pour l'Eglise delaparoisse des Ecureuils	28 #	

J	20. 5.1797	Reçus pour lafaçon de repeindre une Vierge pour l'Eglise des Ecureuils	12 #

L'Islet (co. L'Islet)

J	16. 4.1778	reçu de Mr ingant curé de l'islette pour un cadre doré pour la ditte fabrique	90 #
J	11. 4.1807	Reçu à compte des ouvrages de doreure faite pour Mr. Panet Curé de L'islet	1116 # 5 s
J	18. 4.1807	Reçu pour parfait payment des ouvrages de doreure faite pour Mr. Panet	683 # 15 s
IOA	22.10.1809	payé par le Marguillier jos. Romain Carron pour s'être fait mener à Lhopital général pour Savoir Si le reste de retable des Chapelles de L'Eglise étoit doré	1 # 10 s
J	15. 6.1810	Reçue pour parfait payment des Ouvrages de L'Islette	178 #
IOA	1. 1.1811	fait dépense mondit rendant compte... pour le parfait et entier payement du balustre en fer fait pour le jubé de l'Eglise par le Sr. Jean Baptiste Poitra Maitre forgeron, aussi pour Lentier payement des ouvrages du Sr. Pierre florent Baillairgé, aussi pour cierges et remboursement de vingt Louis et quatre Chelins et demi que Monsieur francois fortier marchand à Québec a payés aux Dames Religieuses de L'hopital général pour L'entier payement de La dorure qu'elles ont faite pour la fabrique de Lislette notre Dame de bon Secours...	
DBC	p. 269	Hingan (l'abbé Jacques) (1729-1779), curé de L'Islet (1767-1779)	
DBC	p. 410	Panet (l'abbé Jacques) (1754-1834), curé de L'Islet (1779-1829)	

L'Isle Verte (co. Rivière-du-Loup)

J	2. 8.1809	Reçue pour un Tabernacle doré à L'huile six Chandéliers & un Christ pour L'Iisle Verte	331 # 15 s

Longueil (co. Chambly)

J	13.10.1787	reçu de monsieur demeule curé de longeuil pour la fason de trois garniture de chandelliers arjanté ché nous pour sons Eglise la somme de	180 #
DBC	p. 154	Demeule (l'abbé Joseph-Étienne) (1744-1789), curé de Longueil (1783-1789)	

Loretteville* (Québec)
*** (Saint-Ambroise)**

J	10. 9.1802	Reçu pourlafaçon desix chandélliers Et une croix argenter pour laparoisse St ambroise la somme de	108 #
J	22.11.1802	Reçu pour façon dorer un Gradin pour la paroisse St ambroise	84 #
J	22. 9.1803	Reçus de la fabrique St. Ambroise pour façon d'un tabernacle Doré ala cole la Somme de quatre cent vingt livres de vingt Sols	420 #
J	1.12.1803	Reçu de Mr thomas genesse marguiller En charge de la fabrique St. Ambroise pour la façon d'une piéce de Dorrerie à l'huile, huit livres de vingt Sols	8 #
J	29. 5.1804	Reçu dela paroisse St Ambroise pour façon de deux herses argenter la Som	18 #
J	15. 3.1809	reçu pour façon dun chandelier paschal doré a la Cole pour St ambroise	168 #
J	28. 3.1810	Reçue de la Dorerie pour façon de deux petits Tabernacles doré a L'huile pour la Paroisse St. Ambroise	300 #
J	22.10.1816	Reçu pour la Dorure d'une Chaire et d'un Banc doeuvre pour la paroisse St Ambroise le tout doré a la Cole	2160 #

Lotbinière* (co. Lotbinière)
*** (Saint-Louis)**

J	6.10.1805	Reçu pour façon dune garniture de Chandeliers pour la paroisse de Lotbinière	294 #

Louiseville* (co. Maskinongé)
*** (Rivière-du-Loup; ne pas confondre avec la ville du même nom dans le comté de Rivière-du-Loup)**

J	27. 9.1814	Reçu pour pr. accompte du Tabernacle que nous sommes aprés doré pour la Parroisse de St. Antoine riviere du Loup	734 # 17 s
J	12. 5.1815	Reçu de Mr Lebourdais pour second accompte des Ouvrages de Dorure que nous avons faites pour l'Eglise de la riviere du Loup	911 # 6 s
J	19. 6.1815	Reçu pour parfait payement dun Tabernacle que Nous avons doré pour la Rivière du Loup	144 #

DBC	p. 322	Lebourdais (l'abbé Jacques Lapierre-) (1783-1860), curé de Louiseville (1813-1855)	
		(voir Germain Lesage, *Histoire de Louiseville 1665-1960*, pp. 143 et suivantes)	

Marieville* (co. Rouville)
* (Sainte-Marie de la pointe Olivier)

J	30. 4.1801	Reçus de mr Robitaille prêtre Curé de laparoisse Ste Marie pointe Olivier à l'acquit de lafabrique de la Dtte paroisse Soixante douze franc pour la façon d'argenter huit chandeliers, quarante huit franc pour une garniture de bouquêts Compris les pots, et quarante franc à Compte des ouvrages qu'il fera faire Cette année pour l'Eglise dela ditte paroisse	160 #
J	28. 5.1802	Reçu de Mr Robitaille curé dela pointe olivier la Somme de Cinquante deux livres pour ouvrages de dorerie	52 #
J	26. 7..1802	Reçu de Mr Robitaille a compte deses ouvrages quarante minots debleds Estimé une piastre	240 #
J	28. 3.1803	Reçu deMr robitaille curé delapointe olivier pour ouvrage dela dorrerie	78 #
J	24.11.1813	Reçu pour Parfait Payment d'un Tabernacle, Gradin & doré à la Colle pour la Paroisse Ste Marie Monnoir Riviere Chambly	890 #
DBC	p. 477	Robitaille (l'abbé Pierre) (1758-1834), aumônier de l'Hôpital-Général de Québec (1789-1793); curé de Saint-Mathias (1798-1807) avec desserte de Marieville (1801-1805)	

Maskinongé (co. Maskinongé)

J	1. 7.1791	Reçue de Mr rinfrette prêtre curé de maskinongé Cinquante franc qu'il s'Etoit Engagé de donner pour Surplus du marchez que les Marguilliers avoit promis aux habitans dela ditte paroisse Et que nous n'avons pas voulue accepter Ce qui à obligé le dit mr Rinfrette à donner les Cinquante franc pour Compléter le prix que nous avons demandés pour la façon de dorerie d'un tabernacle, un autel Bombé six chandeliers et un christ argentée pour l'Eglise de la ditte paroisse de Maskinongé	50 #

J	9. 3.1792	De la somme de treize cens franc reçus du Sieur charle Macarthy marguillier en charge de la paroisse de Maskinonger pour parfait païement de l'ouvrage que notre Comté de l'hôpital geral à fait pour l'Eglise de la ditte paroisse aiant reçus de Mr rinfrette Curé de la ditte paroisse Cinquante franc	1300 #
DBC	p. 473	Rinfret (l'abbé Antoine) (1756-1814), curé de Maskinongé (1782-1793)	

«Missions» (localisation inconnue)

J	10. 6.1813	Reçu de la Dorerie pour un Tabernacle Doré à L'huile pour les Missions	216 #

Montmagny* (co. Montmagny)
*** (Saint-Thomas)**

J	juin 1768	reçu de m maisonbasse pour la dorrie	12 #
J	3. 3.1773	rçu de la fabrique de St Thomas de la pointe alacaille pour la fason dun chandelier paschal	50 #
J	7. 8.1775	reçu de Mr Maisonbasse a conte du tabernacle de St Thomas	200 #
IOA	3.11.1776	item payé à compte de la dorure du tabernacle	200 #
J	7. 8.1776	reçu a conte de 400 # qui étoit du sur le tabernacle de la paroise de St. thomas	200 #
IOA	13. 4.1777	item payé aux dames de l'hopital général à compte de la dorure du tabernacle	200 #
J	25. 9.1777	reçu pour parfait payement du tabernacle de Monsieur maisonbasse	200 #
IOA	22. 3.1778	item payé aux dames de l'hopital général pour parfait et dernier payement de la dorure du tabernacle	200 #
J	21. 5.1781	reçu aconte de la façon d'un petit tabernacle, que le Sieur pierre Noël Caron, nous à donnée à dorré pour la paroisse de St. thomas	200 #
J	2. 9.1782	Reçu du Sieur noël Caron, à conte de trois cens quatre vingt dix huit quil redevoit sur la façon d'un tabernacle doré	200 #
J	12. 4.1784	Reçue du Sieur Caron pour Entier payment du Tabernacle qu'il a fait Dorer jci la Somme de...	198 #

J	5. 1.1799	Reçus du Sieur j B gervais dit talbot Sindic des chapelles de l'Eglise deSt. thomas cent cinq livre pour argenter Six chandeliers et un christ, et quarante deux livre pour fourniture de quarante deux livrets d'argent	147 #
J	26.10.1803	Reçu de mr jean marie Lesperance marguiller en charge de la fabrique de St thomas du Sud pour deux Statuës Dorées à l'huile et un St Esprit argenté ala Cole. Cent francs pour la façon de chacune des Statuës et trente Six francs pour la façon du St Esprit et la fourniture de l'argent et le port dici à québec la somme de deux cents trente huit livres	238 #
DBC	p. 358	Maisonbasse (l'abbé Jean-Baptiste Petit-) (1721-1780), curé de Montmagny (1756-1780)	

Montréal (Notre-Dame)

J	29. 5.1781	reçu pour la facons de deux garnitures de chandelliers dorré et argenté pour la paroisse de Monsieur Déséry curé de Montréal	144 #
J	12. 4.1782	Reçu pour une garniture de chandelliers argenté pr. montreal	90 #
J	17.12.1782	Reçu pour quatre croix, une doré et trois argenté pr mr dezeri à montreal	72 #
J	5. 7.1788	reçu de Messieurs dezéry et curatau pour des ouvrages de dorure pour leur Eglice la Somme de...	180 #
SU	p. 196	Déséry (l'abbé François-Xavier Latour) (1741-1793), curé d'office de Montréal (1776-1793)	
DBC SU	p. 141 p. 192	Curatteau (l'abbé Jean-Baptiste de la Blaiserie) (1729-1790), curé de Montréal (1773-1790), selon Allaire; confesseur des soeurs de l'Hôtel-Dieu de Montréal, selon Gauthier.	

Montréal (Hôpital-Général)

J	26.11.1781	Reçu pour six chandelliers et une croix que nous à vons argenté pour l'hopilat de Montréal	105 #

Montréal (soeurs de la Congrégation)*
*** (Notre-Dame de la Victoire; voir Québec, soeurs de la Congrégation)**

J	8.10.1798	Reçus pour argenter un christ pour la chapelle de nôtre Dame de victoire à Montréal Vingt deux franc et Six franc pour lafourniture de Six livrêts d'argent	

Neuville* (co. Portneuf)
*** (Pointe-aux-Trembles; ne pas confondre avec la paroisse de Pointe-aux-Trembles située sur l'île de Montréal)**

J	16. 2.1773	(?) reçu pour la fason de quatre chandélier argenté et unne croix de la paroise de la pointeautremble	31 # 10 s
IOA	1801-1802	Item de la Dorure des deux Autels gradins et Tabernacles et des fonds et autres petites fournitures payées aux Dames de l'hopital Général suivant recuts	1148 #
J	16. 3.1802	DelaSomme de Six Cents livres reçu pour avoir dorre deux petits tabernacles avec les des autels Bonbe pour la fabrique dela pointe aux trembles	600 #
J	25. 5.1803	Reçus de la fabrique de la pointe aux trembles pour la façon d'un autel Bombée et un gradin, deux cents douze livres	212 #
J	24. 9.1803	Reçus de la fabrique de la pointe aux tremble pour la façon d'un tabernacle Dorré et quelques Statuës la somme de trois cents cinquante livres Seize Sols et pour l'or en feuilles trois cent quatre vingt livres	380 #
IOA	1803-1804	Item payé aux Dames Religieuses de l'hopital Général pour la dorure du Tabernacle et reparations des Statuts	730 #

Petite-Rivière-Saint-François (co. Charlevoix)

J	5. 6.1804	Reçu pour façon de six chandellier et une crois pour la petite Rivière de la paroisse St françois la Somme de...	200 #

Québec (Conseil législatif)

JFB	27. 4.1793	Payer les dammes de l'hopital général pour les dorrures de la Masse et de la verge noire du Conseil législatif	1 £ 9 d
JFB	28.11.1793	Payer aux dammes de l'hopital général pour solde dix neuf chelins et dix huit Coper pour la dorure de la masse de la Chambre d'Assemblée.	

Québec (Faubourg Saint-Jean)

J	21.12.1850	Reçu pour la dorure de 6 chandeliers avec la croix pour le grand autel de l'Eglise du Faubour St Jean, l'or fourni par la fabrique, le prix était de £ 20 la Comté a fait présent de la balance	
LC	1850-1851	Reçu pour la dorure de chandeliers et canons pour l'Eglise du Faubourg St Jean, et une statue de la Ste Vierge pour Mr C. Hamel	24 £ 2 sh
J	11. 6.1851	Reçu du Rév. Mr Martineau pour dorure d'un agneau & St Nom de Marie pour l'Eglise du Faubourg St Jean	1 £
DBC	p. 372	Martineau (l'abbé David) (1815-1882), chapelain de l'église Saint-Jean-Baptiste à Québec (1850-1853)	

Québec (Hôtel-Dieu)*
*** (voir Saint-Augustin)**

AHDQ	1779	Pour la niche du St Sacrement scavoir: payer au sculpteur pour la ditte niche — 36 # fourny 14 livrest dor scavoir 10 livrest ditto a 3 # 10 s piece — 35 # 4 livrest ditto a 3 # 12 s piece — 14 # 8 pour la faire dorer il n'en a rien couter les Religieuses de l'hopitale général on voulu faire present de leur travaille	
J	5.12.1782	Reçu pour de louvrage de dorure pour lhotel-dieu de quebec	20 #
J	12. 1.1784	Reçue des ouvrages de la dorerie par 6 pots argenté pour Mr Guichau et 4 pour l'hotel dieu	24 #
J	7. 2.1787	reçu pour de louvarge de dorure pour Lhotel dieu la some de	74 #
J	10. 1.1804	Reçu de mr chenet prêtre curé de la paroisse St aug[t]. à Compte des ouvrages de D'orrerie et chandelliers pour L'hôtel Dieu de quebec la Somme de cinquante deux livres	52 # 9 s
J	9. 4.1804	Reçu de mr chenet prêtre et Curé de la paroisse St augustin pour parfait payment de la façon de six chandelliers arg[té] et un christ, avec un petit sous-pieds Dorré la Somme de cent quatre vingt deux livres quatre Sols	182 # 4 s

AHDQ	24. 6.1838	... la Consulte consentie (toute la Comté parue le désirée) que l'on fit dorer la Statue de notre Dame de Toute grace d'après ce que l'on Croit nos Soeurs de l'hopital général l'avoit déja réparée, elles ont encore bien voulue ce charger de cette besogne; sans vouloir accepter de paiement ayant fourni l'or et mis bien du tems à la réparée. il nous reste à leur donner un témoignage actif de notre reconnaissance. (N.M.A.M., ar.5, enveloppe 10, 1834-1840)		
LC	1838-1839	La somme de dix-huit livres, deux chelings courant reçue de l'argenture des chandeliers de l'Hôtel-Dieu	18 £	2 sh
AHDQ	1839	Dans le printemps de 1839 la Consulte, et le Chapirtre resolurent de faire argenter pour la deux centième année de notre fondation, des chandeliers si mal argenté dans le principe qu'ils étoient tout presque noir. quatre de moyenne grandeur pour le grand Autel, huit plus petits pour les deux Chappelles avec chacune leur christ aussi argenté cet ouvrage a été fait par nos mères de l'hopital général pour £ 19..00..00. elles ont tout fournit, et bien assurées qu'elles ne l'auroit pas fait pour le même prix pour tout autre personne (N.M.A.M., ar. 5, enveloppe 10, 1834-1840)		
AHDQ	1839	A nos mères de l'hôpital-général pour avoir argenté 6 grands chandelliers à 30/	9 £	
		Et pour 6 petits et 2 christes à 13/ (Livre de compte pour les Recettes et Dépenses de la Communauté de l'Hôtel-Dieu de Québec 1825-1857, p. 216)	9 £	2 sh
J	17. 2.1839	l'argenture de 6 chandeliers à 30/ 2 christe et 6 petits chandeliers à 13/ pour l'hotel-Dieu	18 £	2 sh
J	22. 7.1847	Reçue pour la Dorure d'une Ste Vierge pour l'Hautel-Dieu		10 sh

«Guichau»: voir Sainte-Famille (I.O.)

DBC	p. 119	Chenet (l'abbé Esprit-Zéphirin) (1763-1805), curé de Saint-Augustin de Portneuf (1801-1804); les paiements de l'abbé Chenet peuvent s'expliquer par le fait que les religieuses de l'Hôtel-Dieu, «administratrices... de la Seigneurie de Demaure ou St. Augustin», donnèrent un terrain pour la construction d'une église à Saint-Augustin en 1804.

(AJQ, minutier de Joseph Planté, no 3738, 30 mai 1804: *Donation d'un terrain pour une église à St Augustin)*

Québec (Notre-Dame)*
*** (cathédrale; voir Québec, Notre-Dame-des-Victoires)**

LC	1755-1756	de la somme de 400 receu de Monseigneur de ponbriand pr facon de dorures pr la cathedral	400 #
J	9. 5.1772	reçu de monseigneur pour la payement de la dorure d'un chandellier paschal et six six autres chandellier argenté	144 #
ANDQ	1773	pour 54 livrettes de feuilles d'or que j'ay fourny aux Religieuses de l'Hopital General pour dorer le chandelier pascal du consentement de messieurs les marguilliers assemblés (livre de comptes 1768-1786, p. 167, Ms 9)	162 #
ANDQ	1773	Payé au chartier pour envoyer le chandellier pascal à l'hopital general pour le faire doré (livre de comptes 1768-1786, p. 167, Ms 9)	1 # 10 s
ANDQ		(?) payé a Samson chartier pour avoir été charché le Mausolé et l'impériale a l'hopital Général et le ramener Deux Chartiers pour voyages pour le service de Mons:r Dosque Curé (livre de comptes 1768-1786, p. 162, Ms 9)	15 #
J	27. 8.1775	reçu de Mr Dupré pour la façon du chandellier paschal de la cathédralle	72 #
J	16. 4.1778	reçu pour la façons d'un cadre pour la chapelle de la Ste famille de la cathedralle	72 #
ANDQ	1787	a therese Jesus dépositaire pour argenter des chandelliers (livre de comptes 1786-1803, p. 50)	198 #
J	19. 9.1789	De la somme de six livres reçue des doreuse pour la façon dun Cadre pour Mr hubert Curé de quebec	6 #
ANDQ	1795	Pour la façon et fournitures faites par les Religieuses de l'Hopital genéral de Québec pour le Tabernacle de la chapelle Ste-Famille (Carton 10, no 25a)	39 # 13 s 1 d
ANDQ	1795	Payé aux Dames de l'hopital genéral, pour la dorure du tabernacle de la Ste Famille, l'or compris, suivant Reçu (livre de comptes 1786-1803, p. 258, Ms 11)	951 # 14 s

J	30. 3.1795	Reçus de Mr plessis Curé de québec pour la façon de peindre une boëte enforme de livre, trois shellings et pour fourniture de pinture pour la ditte boëte cinq livres treize sols	9 # 5 s
J	30. 3.1795	Reçus de Mr plessis Curé de québec pour la façon de dorer un Cadre or et noir Sept shelling, et pour fourniture d'un livrêt et demy dor pour le dit Cadre quatre livres dix neuf Sols le livrêt à trois livres Six Sols	13 # 7 s
J	7. 5.1796	Reçus de Mr chenny Marguillier en charge de la paroisse de québec cent vingt Six livre pour la façon d'argenter Six chandeliers pour le maître autel de l'Eglise de la ditte paroisse à vingt une livre piéce, trente Six livre pour dorer, et argenter le christ, Cent Seiz livre pour Cent Seize livrets d'argent à vingt Sols, et treize livre quatre Sols pour quatre livrêts dor à trois livre Six Sols letout pour le dit ouvrage	291 # 4 s
J	12. 6.1796	Reçus de Mgr̂ hubert Evêque de québec Cent quatre vingt livre pour la façon de dorer, et pindre un gradin une niche et une Statut, douze livre pour le raccommodage de la Sculpture du dit gradin, cent trente deux livre pour fourniture de quarante livrêts dor à trois livre six Sols le livrêt, et deux livre pour les pintures pour le dit ouvrage	336 #
J	18. 7.1796	Reçus de Mr pierre Emond à l'acquit de Mr chenny marguilliers en charge delaparoisse de québec pour façon d'argenter deux chandeliers et un christ pour le banc d'oeuvre pour l'Eglise dela ditte paroisse soixante franc, et pour fourniture de quarante quatre livrêts d'argent à vingt Sols le livrêts quarante quatre franc	104 #
LC	1796-1797	De la somme de deux Cent quatre vingt Cinq livre un sol reçus de Mgr̂ hubert Evêque de québec, Savoir Cent Soixante deux livre pour la mître que nous lui avons Brodée et cent vingt trois livre un Sol, pour facon de dorer, argentée ouvrage en bois et fourniture dor et argent en feüilles pour deux Colonnes et une Ste Vierge que sa grandeur a fait dorer	285 # 1 s

J	17. 2.1797	Reçus de Mgr hubert Evêque de québec Cent huit livre neuf sols Savoir pour la façon et lebois des deux Soupiers des deux Colonnes, douze franc pour fourniture de dix huit livrêts dor atrois livre Six Sols, et quatre livrêts d'argent à vingt sols lelivrêt, reste pour la façon de les avoir dorer et argentée trente trois livre neuf Sols pour les deux	108 # 9 s
ANDQ	1798	Aussi l'assemblé est convenu de faire redorer en plein la statue de la Ste Vierge qui est au dessus du grand tableau et de faire partie dorer partie peinturer les deux anges qui sont auprès de la dite statue; les six grandes statues d'enbas autour de l'autel, et le chandellier pascal et aussi de faire de l'ancien cadre du tableau du maitre-autel, un cadre partie peinturé partie doré, pour garnir le tableau de la chapelle de Notre Dame de Pitié (livre de délibérations 1777-1825, p. 228, Ms 17)	
J	29. 3.1798	(?) Recus de Mr plessis Coadjuteur Elüe pour deux Colonnes dorer que nous lui avons Cedée Suivant l'estimati qui en a Etée faite, et qui nous Etoient Echues dans la quatrième partie des Effets de feü Mgr hubert suivant le leg que nous a fait Sa grandeur par Son testament	36 #
ANDQ	1798	Ditto a l'hopital général pour argent chandeliers, Christe fourniture etc. suivant reçu (livre de comptes 1786-1803, p. 329, Ms 11)	65 # 12 s
ANDQ	1798	payé à l'hopital generale pour chandeliers Christe doré et fourniture le tout suiv.T reçu (livre de comptes 1786-1803, p. 330, Ms 11)	223 # 18 s
J	25. 4.1798	Reçus de Mr pierre Emond marguillier en charge dela paroisse de québec, pour la façon d'argenter deux chandeliers et un christ pour le banc d'oeuvre de la ditte Eglise quarante franc, pour dorer à l'huile deux pommes pour la banière trois livre, pour fournitures de seize livrêts d'argent à vingt Sols, Seize franc, deux livrêts dor a trois livre six sols, Six livre douze Sols	65 # 12 s
J	23. 6.1798	Reçus de Mr Emond marguillier en charge delafabrique de québec, cent Cinquante livre pour la façon d'argenter Six chandeliers un christ, et dorer quatre pots à bouquêts pour	

		l'Eglise de la ditte paroisse, et Soixante quatre livrêts d'argent avingt Sols, et trois livrêts dor à trois livre Six Sols	223 # 18 s
J	14. 5.1799	Reçus de Mr Renvoiser Marguillier en charge de la fabrique dela paroisse de québec pour dorer à l'huile le chandelier paschal quatre vingt Seize livre, pour dorer et peindre àla colle le cadre de nôtre Dame de pitié. Soixante livre pour argenter quarante deux petits chandeliers cinquante livre huit sols, pour trente quatre livrêts d'argent à vingt Sols, quatre livrêts dor à trois Shellings et autre fournitures soixante neuf livre quatre Sols	275 # 4 s
ANDQ	1799	payé a l'hopital général, pour dorer 4 statuts, et fournitures (livre de comptes 1786-1803, p. 359, Ms 11)	400 #
J	18. 9.1799	Reçus de Mr Renvoiser Marguilliers en charge de la fabrique de laparoisse de québec, quatre Cent franc dont trois Cent quarante Six livre Sept Sols pour la façon de dorer, et peindre à l'huile quatre Statuts de grandeur humaine et Cinquante trois livre treize Sols pour fourniture des peintures	400 #
ANDQ	1800	(M. Ranvoyzé ancien marguillier a payé la somme de deux cent cinquante six livres) pour façon de dorer et peindre à l'huile deux statuts pour l'Eglise de la ditte paroisse... (signé) Sr. St. Alexis sup.[re]. (document déposé dans un coffre bleu)	
J	16. 1.1800	Reçus de Mr Renvoysez ancien marguillier de la fabrique de québec deux Cent quarante livre pour la façon de dorer et peindre a l'huile deux Statuts pour l'Eglise de la Ditte paroisse, de grandeur humaine et Seize livre pour les peintures	256 #
J	21. 2.1800	Reçus de Mr jh planté marguillier en charge dela paroisse de québec pour lafaçon de dorer et pindre àl'huile quatre piramydes ou reliquaires pour une des chapelles de l'Eglise dela ditte paroisse	96 #
J	27. 4.1800	Reçus de Mr plante notaire marguillier en charge dela fabrique dela paroisse de québec deux Cent vingt Cinq livre pour la façon d'argenter Six chandeliers, un christ et deux anges, et Cent trente huit livre pour quatre	

		vingt douze livrêts d'argent fournis à trente sols pour le dit ouvrage pour l'Eglise delaparoisse de québec	363 #
J	10.11.1800	Reçus de Mr planté marguillier en charge delafabrique de laparoisse de québec pour lafaçon de dorer et peindre a l'huile le tabernacle de nôtre Dame de pitié trois Cent franc, et pour fourniture de quarante trois livrêts dor a quatre livre dix Sols, Cent quatre vingt treize livres dix Sols, letout	493 # 10 s
J	7. 7.1803	Reçus de mr Desjardins le jeune pour ouvrages de dorrerie quatre vingt dix livres Compris l'or lequel retranché reste	82 #
J	23. 7.1803	Reçus de mr Dufrénay marguillé En charge de la fabrique de Québec pour differents ouvrages fait par l'ordre de Mr monjon ci devant marguillé En charge de la dite fabrique la Somme de trois Cent trante Seize Sols	330 # 16 s
J	6. 7.1804	Reçu de mr Déjardins pour façon de deux gradins et trois Croix la somme de	59 #
J	17. 6.1826	Reçu pour la Dorure de deux Cadres pour la paroisse de Québec	114 #
J	25. 8.1827	Reçu pour la dorure de 3 Cadres pour la Paroisse de québec	320 £ 12 sh
ANDQ	1828	Envoi d'un compte par l'hopital général pour la dorure d'un Tabernacle — (Carton 5, no 97)	
ANDQ	1828	Le nouveau tabernacle de la Ste Famille fait par Mr. Ths. Baillargé et doré à l'hop! Gén! a été posé le 13 mars 1828 et l'ancien de la dte Chapelle transféré alors à la Ch. Ste-Anne, en attendant qu'il fut redoré (Ms 82, dernière page)	
J	13. 9.1828	Reçu pour la Dorure dun tabernacle pour la fabrique de Québec	636 £
J	4.10.1831	Reçu pour façon de Six Grands Chandeliers et une Croix pour le Maître autel de la paroisse de Québec et deux Chandeliers et une Croix pour le banc doeuvre	480 #
J	26.11.1831	Reçu pour une Garniture de Chandeliers pour la fabrique de quebec	336 £
J	2. 5.1832	Reçu pour la façon dargenterie de deux chandelliers et d'un Christ pour la fabrique de Québec	92 £ 4 sh

J	2. 4.1834	Reçu de la fabrique de Québec pour dorure d'un chandelier paschal	104 £
DBC	p. 442	Pontbriand (monseigneur Henri-Marie Dubreuil de) (1708-1760), évêque de Québec (1741-1760)	
LC	1772-1773 1785-1789	Soeur Louise Michel Gatin de Thérèse de Jésus (1720-1793), dépositaire de l'Hôpital-Général de Québec (1772-1773, 1785-1789)	
DBC	pp. 272-273	Hubert (monseigneur Jean-François) (1739-1797), évêque de Québec (1788-1797)	
DBC	p. 438	Plessis (monseigneur Joseph-Octave) (1763-1825), curé de Notre-Dame de Québec (1792-1805), grand-vicaire de l'évêque (1797-1801), coadjuteur de l'évêque (1801-1806), évêque de Québec (1806-1819) et archevêque de Québec (1819-1825)	
		Émond (Pierre) (1738-1808), charpentier, menuisier et sculpteur	
		Ranvoyzé (François) (1739-1819), orfèvre	
DBC	p. 164	Desjardins (l'abbé Louis-Joseph Desplantes) (1766-1848), assistant à la cathédrale de Québec (1801-1805)	

Québec (Notre-Dame de Foy)*
* (Sainte-Foy)

ANDF	1780	1erement payé pour une Lampe de Leglise argenté chez Les religieuses de lhopital general quarante deux livres cy (Livre de comptes et de délibérations 1756-1818)	42 #

Québec (Notre-Dame-des-Victoires)*
* (succursale de Notre-Dame de Québec)

J	16.11.1787	reçu de monsieur guévau marguier de léglise de la basse ville la somme de 82″ pour la fasson de six chadellier et unne croix argenté ché nous la somme de	82 # 12 s
J	31.12.1797	Reçus de Mr pierre Emond Marguillier en charge de l'Eglise de la basse ville de québec pour la façon de dorer quatre petits pots pour l'Eglise de la Dtte basseville quatre livre seize Sols, et quatre livre dix neuf Sols pour un livret et demy dor pour le dit ouvrage a trois livre Six Sols le livret	9 # 15 s
J	18.10.1800	Reçus pour la façon d'argenter Six petits chandeliers pour l'Eglise dela basse ville de québec	18 #

J	26. 3.1801	Reçus de Mr Monjon Marguillier en charge de la fabrique de la basseville de québec pour lafaçon de dorer et peindre à l'huile le Cadre du Maître autel de la d^{tte} Eglise	65 #
ANDQ	25. 5.1801	je reconnois avoir reçue de Monsieur juste monjon marguiller en charge, la somme de sept cent livres pour parfait paiement dun Tabernacle que nous avons dorer pour l'Eglise de la basse ville, Donnée à Notre Dépot de l'hopital Général le 25 mai 1801. (signé) Sr. St. Alexis Sup^{re}. (dossier 17e, 18e, 19e...: 25 mai 1801)	
J	26. 5.1801	De la somme de Sept cens livres reçu de Mr juste Monjon Marguillier En Charge pour un tabernacle dorré à lhuille pour L'Eglise de la basse ville	700 #
J	4. 9.1801	De la Somme de Cent Cinq livres Reçu de Monsieur juste Monjon, pour façon de six chandeliers et un christe argenté	105 #

Québec (Récollets)

J	14. 1.1778	reçu du pere Superieur des Recollets pour 6 chandelliers une croix à 14 # piece et un Cardre a 30 #	128 #

Québec (Saint-Roch)

J	15.10.1824	Reçu en Acompte Sur la Dorerie d'un Tabernacle pour l'Eglise de St Roch	111 #
J	13.10.1825	Reçu pour la façon d'un Tabernacle pour L'Eglise de St Roch	432 #
J	15. 7.1826	Reçu pour la dorure d'un petit Tabernacle pour une Chapelle de Léglise de St Roch	360 #
J	1. 9.1826	Reçu pour façon d'une petite garniture de chandeliers pour Chapelle de Leglise de St Roch	63 #
J	18.10.1826	Reçu pour façon façon d'une Lampe argenté pour L'église de St Roch	60 #
J	10.11.1826	Reçu a Compte de la dorure dun Cadre pour L'eglise de St Roch	189 #
J	26. 3.1829	Reçu pour façon dune Lampe argenté a la Colle pour L'église de St Roch	42 £

Québec (Séminaire)*
*** (voir Sault-au-Récollet, Saint-Martin de l'Île Jésus et Tadoussac)**

J	13.12.1771	reçue pour le payement de la dorure d'une vierge pour le seminaire	18 #
J	15. 9.1772	reçu de monsieur boirette, pour deux statue	40 #
J	5.12.1782	Reçu pour la dorure d'une Vierge pour la Congrégation du Séminaire	50 #
J	25. 2.1787	reçu de monseigneur lansien [monseigneur Briand] pour quelque ouvrage de dorure faite pour Sa chapelle la somme de	48 #
J	20. 5.1787	reçu de monseigneur Lancien pour quelque ouvrages de dorures que lon lui a fait pour Sa chapelle la Some de	46 #
J	17.11.1797	Reçus de Mr Robert Supérieur du Séminaire de québec quatre livre Seize Sols pour le bois et la façon d'un Cadre et deux Shellings pour le dorer, et pindre à l'huile	7 # 4 s
J	23. 6.1800	Reçus de Mr Robert prêtre procureur duSéminaire de Quebec, pour lafaçon d'argenter Six chandeliers et un christ pour la chapelle du dit Séminaire, et la fourniture de Cinquante et un livrêts dargent a trente Sols	226 # 10 s
J	22. 8.1800	Reçus de Mr Robert procureur du Séminaire de Québec pour la façon de dorer à l'huile un Cadre pour la chapelle de St joachim Cinquante franc, et autant pour la fourniture de l'or	100 #
J	25. 9.1800	Reçus des Mrs du Séminaire de québec pour lafaçon de dorer à la Colle le Cadre du maître autel un petit gradin, et al'huile un tour d'autel pour leur chapelle, trois cent cinquante livre, et pour fourniture de quatre vingt un livrêts dor a quatre livre dix Sols, trois Cent soixante quatre livre dix Sols, le tout	714 # 10 s
J	2. 8.1801	De la Somme de Cent Soixante huit livres Reçu de Monsieur Robert prêtre et procureur du Séminaire de québec, pour façon de six chandetiers et d'un christe Argenté	168 #
J	22. 8.1803	(?) Reçus de m Lahaille prêtre et procureur du Sem[re] de quebec pour les fournitures et la façon dun ornement, cent quarante deux livres trois Sols	142 # 3 s

J	21.11.1803	Reçu de mr Robert prêtre et Supérieur du Séminaire de quebec pour la façon d'un cadre doré àla Cole cent soixante francs et pour trente sept livrets d'or fournis à quatre livres quatre Sols, faisant Cent Cinquante Cinq livres huit Sols, la Somme de trois Cents quinze livres huit Sols	315 # 8 s
LC	1839-1840	(?) La somme de cinq livres dix chelings courant reçu de Monsieur Parant Procureur du Séminaire, pour argenterie de six chandeliers	5 £ 10 sh
ASQ	15. 2.1840	8 chandeliers argentés à l'Hôp. Général (Brouillard 1837-1848)	132 #
DBC	p. 61	Boiret (monseigneur Urbain) (c.1730-1774), professeur de théologie au Séminaire de Québec (1761-1774)	
DBC	p. 82	Briand (monseigneur Jean-Olivier, dit «l'ancien» après sa retraite) (1715-1794), évêque de Québec (1766-1784); démissionnaire à Québec (1784-1794). Il se fit aménager une chapelle particulière au Séminaire de Québec, chapelle dont Pierre Émond assura la décoration. Le sculpteur y acheva ses travaux en 1786.	
DBC	pp. 475-476	Robert (l'abbé Antoine-Bernardin — de la Pommeraye) (1757-1826), au Séminaire de Québec (1787-1826); supérieur de l'institution (1795-1798, 1802-1805, 1809-1815)	
DBC	p. 295	Lahaille (l'abbé Jean-Baptiste) (1751-1809), confesseur à l'Hôpital-Général de Québec (1790-1796); professeur au Séminaire de Québec (1777-1805)	
DBC	p. 415	Parent (l'abbé Antoine) (1785-1855), au Séminaire de Québec (1808-1855)	

Québec (soeurs de la Congrégation)*
*** (voir Montréal, soeurs de la Congrégation)**

J	7.11.1811	(?) Reçu pour Six Chandeliers et un Christ Argentez pour les Reg^{ses} de la Congrégation	220 #

Québec (ursulines)

J	3. 8.1871	reçu des Dames Ursulines pour la dorure de quatre châsses	15 £

Repentigny (co. L'Assomption)

IOA	1787	aux soeurs de Lhopital, dorure du chandelier paschal	180 #
IOA	1825	(?) aux dame de l'hopital general pour compte (ce dernier paiement pourrait avoir été versé aux religieuses de l'Hôpital-Général de Montréal qui, à cette date, connaissaient l'art de la dorure)	202 #

Rimouski (co. Rimouski)

J	21.11.1834	pour la dorure d'un Tabernacle pour Rimouski	1668 £
LC	1834-1835	La somme de seize cens, soixante huit livres, reçue pour la dorure d'un Tabernacle pour Rimouski	1668 £

Rivière-des-Prairies* (Montréal)
*** (voir Sault-au-Récollet)**

J	19. 9.1794	Reçus pour la façon des chandeliers de Mr prévot Curé au Sault des Récolets desservant la rivière des prairies	74 #
DBC	p. 448	Prévost (l'abbé Louis-Amable) (1757-1820), curé de Sault-au-Récollet (1790-1799) avec desserte de Rivière-des-Prairies (1790-1796)	

Saint-André (co. Kamouraska)

J	14. 7.1815	Reçu de la fabrique de la paroisse St André pour différents petits ouvrages de dorerie	36 #
J	15. 6.1829	Reçu pour façon dun tabernacle doré a la Colle pour la paroisse de St André	1260 £
J	15. 8.1829	Reçu pour façon dun tabernacle doré a la pour laparoisse St André	1260 £

Saint-Antoine-de-Tilly* (co. Lotbinière)
*** (voir Les Éboulements)**

IOA	1770	payé aux Dames religieuses de LHopital general pour partie du payement du tabernacle	205 # 8 s
IOA	1771	Payé aux Dames religieuses de LHopital general pour partie du payement du tabernacle	294 # 12 s
J	19.12.1771	reçu de la fabrique de St. Antoine pour parfait payement d'un tabernacle d'oré a cinq cent livre	
J	4. 6.1776	reçu pour la façon du chandellier pascal de Mr noel	44 #
IOA	1798	payé aux Dames de lhopital general pour avoir doré un Tabernacle la somme de six cent soixante livres suivant le devis de l'acte d'assemblée	660 #

J	9.11.1798	Reçus pour la façon de dorer un tabernacle pour une chapelle de l'Eglise dela paroisse St. Antoine trois Cent livre, et pour la fourniture delor trois Cent Soixante	660 #
JFB	9. 1.1799	... finit les quatre garnitures de chandelliers de l'Eglise de St Antoine du Sud travallé 71 jrs Livré aux Dammes de L'hopital Général les dits chandelliers	
IOA	1799	... aus Soeurs de l'Hôpital-général pour avoir doré un tabernacle, argenté vingt chandeliers...	62 # 10 s
J	7. 7.1799	Reçus du Marguillier en charge de la fabrique de la paroisse St. Antoine, pour la façon d'un tabernacle or et blanc trois Cent livre, pour argenter Six chandeliers et un christ pour le maître autel Cent quarante Sept livre, pour deux chandeliers et une Croix pour lebanc d'oeuvre cinquante quatre livre, pour quatre vingt dix dor atrois Shellings et quatre vingt Six livrêts d'argent quatre Cent dix livre	911 #
IOA	3. 3.1799	... statué que le marguillier en charge recommandera une garniture de bouquets pour le maître-autel de dix-huit piastres, avec leurs pots, chez le Sr Baillarger et de les faire argenter chez les Dames de l'hôpital general...	
JFB	24. 4.1799	... livrez pour être argentez a l'hopital general 6 pots à bouquets pour St Antoine vallant 4 s chaque.	
JFB	27. 6.1799	... livrez aux Dammes de l'hopital general les 2 Cadres des Tableaux de St Antoine pour y être dorés.	
J	15. 8.1799	Reçus de Mr Simeon Germain al'acquit dela fabrique delaparoisse St Antoine du Sud, pour lafaçon d'argenter douze chandeliers deux croix pour les chapelles à dix huit franc piéce deux Cent Cinquante deux livre, pour façons de Six pots afleurà un Ecu piéce dix huit franc pour fourniture deSoixante Seize livrets dargent à vingt Sols lelivrêt Soixante Seize livret, et quatorze livre huit Sols pour autres articles	368 # 8 s

IOA	1800	... aux Dames de L'Hôpital general... pour la dorure des quadres des chappelles...	280 #
J	5. 3.1800	Reçus du Sr pierre Berjon marguilliers en charge dela paroisse de St. Antoine dans leSud pour la dorure de deux Cadres Cent vingt livre, et pour quarante livrêts dor à quatre franc Cent Soixante livre	280 #
DBC	p. 400	Noel (l'abbé Jean-Baptiste) (1710-1797), curé de Saint-Antoine-de-Tilly (1736-1790)	

Saint-Augustin* (co. Portneuf)
*** (voir Québec, Hôtel-Dieu)**

HSA	1769	pour Louvrage des chandeliers donné aux le Vasseurs 243 # donné aux Religieuses pour les avoir archantés (p. 128)	222 #
HSA	1770	Donné aux Religieuses de l'hopital general pour parfait payement des chandeliers des chapelles de la Ste. famille et St. Michel (p. 128)	84 # 15 s
HSA	1770	(?) pour la dorure de la statue de St. Augustin et lavoir amuré (p. 128)	50 #
HSA	1771	«Il y a une dépense de 489 livres, dont 300 payées aux Religieuses de l'Hôpital Général pour la dorure des deux tabernacles des chapelles latérales, et 189 liv.' pour L'or qu'elles ont achetés'» (p. 129)	
J	2. 1.1772	reçu de mr beriault pour parfait payement de deux petits tabernacles	110 #
J	12. 3.1773	reçu de mr beriault curé de St augustin a conte de ouvrages de dorures	45 #
J	14.10.1803	Reçus de mr chenet prêtre Curé de la paroisse St. Augustin à Compte des ouvrages de Dorrerie la Somme de quatre vingt livres treize Sols	
J	17. 6.1806	reçu pour façon d'une garniture de chandeliers pour la fabrique de la paroisse de St Augustin	312 #
DBC	p. 47	Beriau (l'abbé Louis-Michel) (1728-1801), curé de Saint-Augustin (1765-1801)	
DBC	p. 119	Chenet (l'abbé Esprit-Zéphirin) (1763-1805), curé de Saint-Augustin (1801-1804)	

Saint-Charles (co. Bellechasse)

J	10.10.1783	Reçue pour Des Statues qui ont été peinte jci pour La paroisse St charles La Somme De	138 #
LC	1799-1800	(don) De Mr péras Curé dela paroisse St charle, un Couvert dargent (note: cette entrée non relative à la dorure justifie toutefois le classement des trois suivantes)	
J	24. 2.1810	Reçue de la Dorerie pour façon de six Chandéliers & un Christ argentez pour la Paroisse de St. Charles	210 #
J	20.10.1816	Reçu pour façon de quatre chandeliers et une Crois pour la paroisse St Charles	90 #
J	7. 5.1817	Reçu pour façon dune Croix argenté pour la paroisse St Charles	24 #
DBC	pp. 424-425	Perras (l'abbé Jean-Baptiste) (1768-1847), curé de Saint-Charles de Bellechasse (1799-1837)	

Saint-Denis-sur-Richelieu (co. Saint-Hyacinthe)

IOA	1772	payé aux Dames de l'hopital généràld de québec sur leur façon et fournitures pour partie de la dorure des trois pièces susdittes cent écus payés comptant [autel, tabernacle et chandelier pascal]	300 #
IOA	1772	cent autres écus et peut-être plus pour parfait payement des dites façons et fournitures susdittes porté en dépense, cy	300 #
J	17. 7.1772	reçu de mr. Chérrier curé de St. Denis dans chambly a conte des ouvrages de dorures fait y ci	300 #
J	3. 6.1773	reçu de Monsieur chérrier curé de St denis dans Chamblie pour parfait payement des ouvrages de dorures qui ont été fait ici	300 #
IOA	1774	payé à l'hopital général de québec deux cent six livres pour avoir argenté six grands chandeliers d'autel, deux d'accolytes, deux du banc d'oeuvre et deux grandes croix, non compris l'achapt d'argent, façon &c, deux cent six livres suivant reçu	206 #
J	10.1774	reçu de Monsieur cherrier pour la façon de 10 chandelliers et 2 croix à 12 # et a 10 # pièce	134 #
IOA	1784	pour dorure et couleur [Vierge] aux Dames de l'Hôpital général	90 #

DBC	p. 119	Cherrier (l'abbé François) (1745-1809), curé de Saint-Denis-sur-Richelieu (1769-1809)	

Saint-François I.O. (co. Montmorency)

IOA	1793	Payé aux Dames religieuses de lhopital general pour Dorure du tabernacle et les chandeliers argentés	838 #
J	20. 3.1793	Reçus des Marguilliers de St françois dans l'jsle d'orlean à compte des huit Cens livres qu'il doivent pour leur tabernacle	422 #
IOA	1798	pour dorure du tabernacle de la chapelle de Ste Anne, avec les chandeliers, la croix, les potsà fleurs, le cadre du grand tableau et les cadres des parements d'autel suivant le compte des Dames	696 # 2 s
J	15. 6.1798	reçus du Sieur jean Marie laîner dit laliberté marguillier en charge de la fabrique de St françois jsle d'orlean à Compte des ouvrages pour l'Eglise de la ditte paroisse	300 #
J	11. 7.1798	Reçus du Sieur jean marie laïner dit laliberté marguillier en charge delafabrique de St françois jsle d'orlean, Soixante neuf livre douze Sols pour parfait païement de dorer et peindre un tabernacle, et argenter quatre chandeliers un christ, deux statues d'anges et quatre pots à bouquêts, et trois Cent vingt une livre douze Sols pour fourniture de quatre vingt deux livrêts dor à trois livre Six Sols, trente livrêts d'argent à vingt Sols et quelques pinture	391 # 4 s
IOA	1799	pour le second tabernacle, les chandeliers &c aux Dames, suivant leur compte	573 # 7 s
J	19. 3.1799	Reçus du marguillier en charge delafabrique de la paroisse St françois jsle d'orlean pour la dorure de 2eme tabernacle deux cent quatre livre douze Sols, pour argenter deux anges quatre chandeliers et quatre pots soixante huit livre, pour fournitures et la Carnation des deux anges, et d'une vierge quarante cinq livre, pour Soixante deux livrêts dor à trois Shellings, et trente trois livrêts d'argent à vingt Sols deux cent cinquante six livre quatre Sols	573 # 16 s

J	21. 1.1801	(?) Reçus pour lafaçon de dorer et peindre à l'huile deux statuts et un chandelier paschal pour l'Eglise dela paroisse de l'jsle d'orlean	108 #	
IOA	1802	pour habiller les dites statues payé aux Dames de l'hopital	362 #	
J	8. 3.1803	Reçu pour façon dargenter Et peindre deux Statuts pour la paroisse st françois dans lil	276 #	6 s

Saint-François* (co. Montmagny)
*** (voir Berthier-en-Bas)**

LC	1757-1758	de la somme de 242 # receu de m lintendent et mr. bedard pour de louvrage de dorure	242 #
J	1.1758	reçue de mr bedard curé pour dorure a son eglise	170 #
J	30. 5.1758	recue de mr bedard curé pour parfait peiment de dorure	58 #
LC	1765-1766	de la Somme de 24 # reçue de Mr bedard pour d'orure	24 #
J	11. 8.1766	reçue pour la dorrerie d'un cadre a mr bedard	24 #
J	31. 3.1772	reçu pour la façon de dorure d'un chandellier paschal pour monsieur Bedard	60 #
J	13. 7.1785	recue de monsieur bedard curé de St françois au Sud aconte des ouvrages de dorrures que nous avons vendu ici	336 #
ANN	1786	(nous priâmes cependant M. Bédard, curé de Saint-François) d'agréer pour sa paroisse deux statuts que nous avions dorées et qu'il avait témoigné lui être agréable. Pour le même but, mais à un autre ami dévoué, nous dorâmes un grand cadre, dont la façon jointe à celle des deux statues fut estimée à 312 # (II, p. 445)	
J	8. 2.1786	reçu aconte des ouvrages de dorures de la paroisse de St francois par monsieur Bedard curé la Somme de	144 #
J	4. 5.1786	recu de monsieur Bedard curé de St françois du Sud la somme de 600 # pour les ouvrages de dorures quil a fait faire ché nous pour Son Eglise	

J	20. 5.1786	reçu de monsieur bedard curé de St françois aconte pour les ouvrages de dorures quil a fait faire pour sons Eglices la Somme de	256 #	
J	8.11.1786	(?) reçu de la fabrique de St. françois pour quellque fourniture de pinture la somme de	9 #	
J	15. 3.1787	reçu de Monsieur bédard curé de St françois pour unne Statue que lon a dorré pour sons Eglise la Somme de	144 #	
J	10. 7.1787	reçu de monsieur bédard curé de St françois pour la fabrique la fason dunne Statu doré chè nous la somme de	120 #	
J	30.10.1791	Reçue de Mr Bédard curé de St françois dans le Sud pour une Statut d'un ange gardien avec son pupille doré et en couleur	120 #	
IOA	1806	payé aux Dames de L'hopital général, tant pour achat d'or que pour La dorure des Pilastres et de la poutre du jubé	1610 #	8 s
J	22.10.1806	Reçu pour un ouvrage de la dorerie pour la paroisse de St. françois	600 #	
DBC	p. 38	Bédard (l'abbé Pierre-Laurent) (1729-1810), curé de Saint-François-de-la-rivière-du-Sud (1752-1810); missionnaire à Berthier-en-Bas (1765-1766, 1770-1786, 1806-1810)		

Saint-Henri (co. Lévis)

J	30. 8.1786	reçu pour la fason de six chadellier et unne croix argenté pour la fabrique de St henry dans lapointe lévie la Some de	108 #	
LC	1836-1837	La somme de quatre cents cinq livres reçue de lagenture des chandelliers et le christe de l'église de St Henry et autre dorure	405 #	
IOA	1837	pour argenter 6 chandelliers et une croix aux Dames de L'hopital generale	12 £	11 sh
J	23. 9.1837	de la fabrique de St Henry pour l'argenture des chandelliers	12 £	11 sh

Saint-Jean I.O. (co. Montmorency)

J	25. 8.1777	reçu de Monsieur l'abe perrault pour la façon de huit chandelliers et deux croix que nous à vons argenté pour la paroisse de St jean	100 #
J	29. 9.1784	Reçue pour façon de dorure d'un Tabernacle de la paroisse St. jean dans lyle La Somme de	535 #

J	20. 3.1785	Reçue pour Le deuxiéme Tabernacle de La paroisse St jean dans L'yle dont Mr pinet Est Curé il est Reste pour la façon de quète d'ouvrages de dorure	545 # 16 s
J	20. 3.1785	Reçue de La dorerie pour façon de deux Garnitures de Chandeliers aussi pour Mr pinète Curé à St jean	144 #
J	27. 3.1802	Delasomme de Soixante livres reçu de Monsieur fortin prêtre Curé de St jean pour or et façon d'un chandelier palchal	60 #
DBC	p. 425	Perrault (l'abbé Charles-François) (1753-1794), curé de Saint-Jean I.O. (1777)	
DBC	p. 435	Pinet (l'abbé Alexis) (c.1751-1816), curé de Saint-Jean I.O. (1778-1800) avec desserte de Saint-François I.O. (1789-1797)	
DBC	pp. 214-215	Fortin (l'abbé Jean-Marie) (1751-1829), curé de Saint-Jean I.O. (1800-1828)	

Saint-Jean-Port-Joli (co. L'Islet)

J	10.11.1807	Reçu pour façon de la dorure d'un Tabernacle pour la Paroisse de St. Jean port Joli	500 #

Saint-Joachim (co. Montmorency)

J	26. 7.1782	Reçu de monsieur corbin curé de St. joachim pour la façon d'un cadre d'autel doré	30 #
IOA	1783	Païé à L'Hopital générale	600 #
		Païé aux mêmes p[r] solde de tous leurs ouvrages	985 # 8 s
J	12. 8.1783	Reçue à Compte de l'ouvrages de la paroisse de St. Joachim de Monsieur Corbin 116 piastres Ce qui fait la Somme De	696 #
J	22.10.1783	Reçue pour Entiers payment De La dorure du Tabernacle De la paroisse De St. joachim la Somme de	204 #
JFB	14. 7.1785	Livrér à lhopital genéral les Chandelliers a Mr Corbin	
J	30. 9.1789	De la somme de trente livres reçue des doreuses pour la façon d'une garniture de chandeliers pour Mr Corbin	30 #
J	17. 5.1797	Reçus de Mr. Corbin Curé de St. Joachim pour lui avoir dorer deux Cadres, argentée Six petits pots quarante neuf livre dix Sols, et douze franc pour raccommoder deux tableaux	61 # 10 s

IOA	1801	Payé aux Religieuses p^{r} dorure du susdit cadre 97 # 5 s de plus p^{r} dorure du petit gradin & argenterie de deux chandeliers en tout 135 # 15 s	135 # 15 s
J	9. 6.1801	De la Somme de Cent neuf livres reçu pour la façon de deux Cadres et un Gradin dorré à la colle pour la paroisse de St. joachim	
J	28.10.1801	DelaSomme de vingt quatre livres Reçu de Monsieur Corbin, pour façon d'un Baptistaire	24 #
J	29. 9.1802	Reçu pour lafaçon de deuxlustres dorré pourlaparoisse St joachim	4 #
J	1. 7.1803	Reçus de la fabrique de St. joachim pour deux grande pieces de Dorrerie Soixante francs L'or apart	60 #
ASQ	17.12.1821	Hopital Genl 17 xbre 1821 Monsieur Ci inclus est le Compte de L'autel de St joachim tel que vous l'avez désirez, et un autre pour le Surplus des 30 Louis, Sur lequel jai ajouté le petit Compte dun Reliquaire que nous avons doré pour la Susdite paroisse j'ai Lhonneur dêtre bien respectueusement Monsieur Votre tres humble et tres observante Sr. St Joseph Sup (lettre à «Monsieur Demers procureur de Séminaire de Québec») (Séminaire 79 no 14)	
ASQ	17.12.1821	et est du a lhopital Général par la fabrique de la paroisse de St joachim, la Somme de trente Louis Cours de la province, pour la dorure d'un autel, Compris la fourniture de Lor, le blanc, le bot, &c. Reçu le montant de Mr Demers procureur du Séminaire de québec le 17 xbre 1821 £ 30 Sr St joseph Sup^{re} (Polygraphie 26, no 4A)	
ASQ	17.12.1821	Reçu de M^{r} demers procureur du Séminaire de québec, Cinq Louis pour le parfait paiement de L'autel de St joachim; de plus pour	

		Lor et la dorure dun reliquaire pour la dite paroisse deux louis Hopital Général 17 Xbre 1821 Sr St joseph Sup^{re} (Polygraphie 26, no 4)		
J	18. 1.1822	Reçu pour La façon d'un autel doré à La Colle pour La Paroisse de St. Joachim	600 #	
DBC	p. 131	Corbin (l'abbé Jean-Baptiste) (1741-1811), curé de Saint-Joachim de Montmorency (1769-1811)		
DBC	pp. 153-154	Demers (l'abbé Jérôme) (1774-1853), procureur du Séminaire de Québec (1821-1824); exécuteur testamentaire de l'abbé Jean-Baptiste Corbin (AJQ, minutier de Joseph Planté, no 5589, 5 février 1811: *Dépöt du testament de Mre Corbin prêtre curé de St. Joachim par Mr Robert Super. du Seminaire)*		

Saint-Joseph-de-Beauce (co. Beauce)

J	24.10.1799	Reçus du marguillier en charge de la fabrique de la paroisse de St joseph dans la bausse Six cent livre pour la façon de dorer un tabernacle, deux Cent dix neuf pour la façon d'argenter dix chandeliers et un christ, Six Cent trois livre douze Sols pour Cent Soixante livrêts dor, quatre vingt onze atrois shelling, Soixante neuf a quatre fran et Cent dixneuf livre dix Sols pour quatre vingt treize livrêts dargent avingt Sols	1542 #	2 s
J	23. 2.1801	Reçus de Mr Lamothe Curé de la paroisse St. Joseph dans la Bausse, pour lafaçon de dorer a la Colle un chandelier paschal pour l'Eglise dela D^{tte} paroisse	48 #	
J	5. 9.1805	Reçu pour la façon de trois Cadres doré pour la paroisse de St. Joseph dans la bausse	(?)	
J	12. 9.1808	Reçu pour façon dune Garniture de chandeliers pour la paroisse St joseph dans la Beauce	180 #	
J	12. 8.1809	(?) Reçue de la dorerie pour façon d'un autel doré à la Colle pour la parroisse St-Joseph	300 #	
DBC	p. 300	Lamothe (l'abbé Antoine) (1759-1829), curé de Saint-Joseph-de-Beauce avec desserte de Beauceville (1785-1810)		

Saint-Laurent I.O. (co. Montmorency)

J	6.1768	reçu du curré de St. Laurans pour une garniture de chandelliers argenté	105 #	
J	7. 8.1800	Reçus pour lafaçon d'argenter Six pots abouquets pour laparoisse St. Laurent	14 #	

IOA	1801	pour la dorure pour les dames de l'hopital general	141 #
		pour l'or qu'elles ont fourni	76 # 10 s
J	30. 3.1801	Reçus duSieur Simon Brousseau, Marguilliers en charge delafabrique delaparoisse St. Laurent jle d'orléan Soixante Cinq livre pour lafaçon de dorer et peindre à l'huile un Cadre et Soixante Seize livre dix Sols pour dix Sept livrêts dor à quatre livre 10 s	141 # 10 s
J	13. 4.1801	Reçus pour la façon de dorer, et argenter ala Colle un St Esprit vingt quatre franc pour l'Eglise delaparoisse St. Laurent jsle d'orlean, vingt huit dix Sols pour fourniture de Cinq livrêts et demy d'argent a trente Sols letout pour le dit ouvrage	56 # 5 s
J	28.10.1801	DelaSomme de Soixante livres reçu de Monsieur Clouet pour façon dun chandelier pachal	60 #
J	23. 1.1804	Reçu de mr. Borgnol[e] prêtre et curé de la paroisse St. Laurent à Compte des ouvrages de Dorrerie la somme de deux Cents francs	200 #
IOA	1804	payé à mr Clouëtte pour l'or qu'il a fourni pour dorer les tabernacles neuf	946 #
		payé aux religieuses de lhopital géneral	795 #
DBC	p. 65	Borniol (l'abbé Pierre-Bernard de) (1741-1818), curé de Saint-Laurent I.O. (1798-1818)	

Saint-Martin de l'Île Jésus (co. Laval)

J	19.10.1791	Reçue de Monsieur Roy prêtre procureur du Séminaire de québec à l'acquit de Mr lemaire prêtre Curé de la paroisse de St Martin pré Montréal, pour la façon d'un tabernacle or et blanc, quatre petites statues, six chandeliers argentée de trois pieds de haut, et un christ d'environ cinq pieds, la somme de	672 #
ASM	1791	item de la Somme de huit Cens quarante quatre livres huit Sols à l'hopital Général de Quebec pour Dorure du Tabernacle Et des chandeliers du Maître Autel et garniture des reliquaires	844 #
		item de la Somme de quatre Cens trente huit livres quatre Sols Cy pour payement de L'or Et argent Employer au dit tabernacle	438 #
		Item de la Somme de quatre vingt dix livres	

		pour Transport du Tabernacle de Montreal à Québec Et de Québec à Montréal	90 #
		pour caisse faite pour Transporter le tabernacle	13 # 10 s
J	29.10.1796	Reçus de Mr. la haille procureur du Séminaire de québec a l'acquit dela fabrique de St. Martin et de la part de Mr le Maire Curé de la ditte paroisse vingt huit franc pour façon d'argenter deux chandeliers et un christ pour le banc d'oeuvre de l'Eglise dela ditte paroisse, onze franc pour fourniture de onze livrets d'argent et trois livre pour le transport du dit ouvrage depuis québec jusqu'ici	42 #
J	20.10.1798	Reçus de Mr Robert prêtre procureur du Séminaire de québec, à l'acquit dela fabrique delaparoisse St martin prés montréal, Cent quatre vingt dix huit franc pour argenter douze Chandeliers, et deux christ, Cinquante deux franc pour la fourniture de Cinquante deux livrêts d'argent, vingt huit livre Seize Sols pour trois Couvertes, et trois livre pour le transport du dit ouvrage	281 # 16 s
DBC	p. 384	Roy (l'abbé Jean-Joseph) (1759-1824), (voir Tadoussac)	
		Lemaire: non mentionné dans le DBC	
DBC	p. 295	Lahaille (l'abbé Jean-Baptiste) (1751-1809), professeur au Séminaire de Québec (1777-1805); confesseur à l'Hôpital-Général de Québec (1790-1796) (voir Québec, Séminaire)	
DBC	pp. 475-476	Robert (l'abbé Antoine-Bernardin — de la Pommeraye) (1757-1826), au Séminaire de Québec (1787-1826) (voir Québec, Séminaire)	

Saint-Mathias (co. Rouville)

IOA	1804	(?) Item a payé pour reste de compte chez les Religieuses de l'hôpital de Québec	115 #

Saint-Michel (co. Bellechasse)

J	6.1768	(?) reçu de monsieur lagroi 1er aconte de son tabernacle	300 #
J	28. 9.1808	Reçu pour façon dune Garniture de chandeliers pour la paroisse St Michel	210 #
IOA	1813	Pour un Baptistère par Mr Frs Baillairgé	552 #
		Pour la peinture & dorure du même à l'Hôp. général	207 #

J	14.11.1813	Reçu pour Façon d'un Batistaire dore a L'huile pour la Parroisse de St. Michel	144 #
DBC	pp. 294-295	Lagroix (l'abbé Antoine Huppé-) (1720-1788), curé de Saint-Michel de Bellechasse (1765-1788) avec desserte de Beaumont (1765-1778)	

Saint-Ours (co. Richelieu)

IOA	1796	pour deux caisses pour le transport des tabernacles	24 #
		pour le fret des tabernacles	18 #
IOA	1797	pour la dorure des deux petits tabernacles	1200 #
		pour faire argenter six chandeliers et trois croix	150 #
		pour les feuilles d'argent	48 #
		pour le transport des tabernacles de Québec à Saint-Ours	24 #
		livré au charetier pour transporter les tabernacles de l'hôpital Général au port et autres frais	12 #
		pour 12 livrets d'argent	12 #
J	2. 3.1797	Reçus de Mr le Capitaine St-Ours* Six Cent franc a Compte des ouvrages de dorerie que nous avons à faire pour l'Eglise de la paroisse de St Ours	600 #
J	1. 6.1797	Reçus de Mr le Capitaine St-Ours al'acquit de la fabrique de la Dtte paroisse pour acompte des ouvrages faits pour l'Eglise de la Dtte paroisse	891 #
J	12. 7.1797	Reçus de Mr. le chevalier de St. Ours à l'acquit de la fabrique de St Ours pour parfait païement des fournitures et façon des ouvrages faits pour l'Eglise de la Dtte paroisse Savoir, pour façon des deux tabernacles six Cent quatre Vingt huit livre dix sols, pour fournitures de Cent Cinquante Cinq livrêts dor à trois livre six Sols, Cinq Cent onze livre dix Sols, pour argenter douze chandeliers, et trois christ à dix franc piéce Cent Cinquante franc, pour fourniture de Soixante franc pour fourniture du bois et la façon de Six chandeliers a trois piastre piece, Cent huit livre, pour laver les tabernacles chandeliers et Raccommoder les Sculpture quinze franc, pour fourniture de planche, Clous, et façon d'une Caisse pour renfermer	

		le dit ouvrage neuf livre douze Sols, Ce qui fait en tout quinze Cent quarante deux livre douze Sols	51 # 12 s
J	12. 2.1819	Reçu pour façon dune garniture de Chandeliers argenté pour L'eglise de St ours	189 #
		* Charles-Louis-Roch de Saint-Ours, dit le Chevalier, était le frère de mademoiselle Jeanne-Geneviève de Saint-Ours, pensionnaire et bienfaitrice de l'Hôpital-Général de Québec; il avait épousé mademoiselle Josephe Murray. C'est par le biais de cette alliance que les religieuses de l'Hôpital-Général avait été mises en relation avec madame Murray de Londres; à la demande de mademoiselle de Saint-Ours, cette dernière se chargea, pendant les deux premières décennies du XIXe siècle, d'expédier de Londres différents effets utilisés pour la confection d'ornements fabriqués à l'Hôpital-Général de Québec, et notamment des feuilles d'or et d'argent. (J 1760-1825: p. 231) (ANN III: p. 190) (*Monseigneur de Saint-Vallier et l'Hôpital-Général de Québec*: pp. 458-459)	

Saint-Pierre (co. Montmagny)

JFB	5.10.1796	livrer cette semaine un des Tabernacles de St picrre du Sud aux dammes de lhop!le gén!le	
JFB	11.10.1796	livrer a l'hopital général le second tabernacle de S! Pierre	
JFB	25.10.1796	finit les tabernacles et les gradins de S! Pierre du Sud et livrer le tout en différentes fois aux dammes de l'hopital général (vaut 9 Louis).	
J	3.11.1796	Reçus de charle Mathieu marguillier de la paroisse St pierre dans le Sud neuf portugaises moins trente grains pour a compte de la façon et fourniture pour ouvrage fait pour l'Eglise de la ditte paroisse	429 # 1 s
J	9.11.1796	Reçus du Sieur hyacinthe marguillier en charg delaparoisse St pierre dans le Sud pour parfait paiement delafaçon de dorer et pindre deux lustre cent deux livre, pour argenter vingt chandeliers à quinze franc piéce 300 # pour raccommoder et argenter le christ vingt quatre franc pour fourniture dor et d'argent en feuille pour les Ditte ouvra	322 #

J	16. 2.1797	Reçus de Mr Antoine Simoneau marguilliers en charge de la paroisse St pierre dans le Sud, soixante piastres, quinze guinées trois loüis françois il manque sur les piéces dor vingt et un grains le tout a Compte de Cinq Cens livres pour achever le païement de six Cent pour avoir dorer et pins deux petits tabernacles or et blanc, pour les avoir lavez et nétoïer vingt franc, pour Cent trois livrêts dor atrois livres six Sols trois Cents trente neuf livres dix huit Sols, pour bleux de prusse et autres ingrédients pour la pinture Six livre quatre Sols pour avoir fait en bois deux chandeliers, les àvoir argentée, et fourni Cinq livrêts d'argent à vingt Sols le livrêts dix huit franc. Ce qui fait en tout huit Cent quatre vingt quatre livre deux Sols la fabrique dela ditte paroisse nous redoit encore vingt huit livre deux sols	856 #
IOA	10.1797	pour les ouvrages de l'hospital	392 # 14 s
J	24.10.1797	Reçus de Mr paquêt Curé de St pierre dans le Sud pour dorer et peindre deux grands Cadre pour l'Eglise de la ditte paroisse, vingt piastres, pour argenter deux Croix et leurs pieds, trente franc, pour fourniture de trente trois livrets dor à trois livre Six Sols pour les deux Cadre, Cent huit livre dix huit Sols, pour quatorze livrêts d'argent à vingt sols pour les deux Croix quatorze franc, pour Ce qui Etoit dus l'année dernièrre vingt huit livre	300 # 18 s
JFB	21. 4.1798	fait porter a lhopital Généralle le cadre du Tableau de S! Pierre du Sud, M! jacson ya travallé vingt huit jours, moy six jours et L'aurencelle trois jours; Convenue avingt piastre deüs	
J	18. 9.1798	Reçus du Sieur charles mathieu marguillier en charge dela fabrique de laparoisse St. pierre dans le Sud, pour dorer et pindre le Cadre du maître autel dela ditte Eglise deux cents vingt livres et pour fourniture de quarante huit livrêts dor à trois Shellings Cent Soixante douze livre 16 s	392 # 16 s
IOA	1811	Deux crois et deux chandeliers argentés par les Soeurs de l'Hopital général	117 #

DBC	p. 412	Paquet (l'abbé Joseph-Michel) (1755-1810), curé de Saint-Pierre-de-la-rivière-du-Sud (1792-1810)	

Saint-Pierre I.O. (co. Montmorency)

IOA	1765	pour fourniture de pinture et autres fourniture pour le tabernacle	180 #
		pour autre fourniture et partie de la façon des reliqueres du tabernacle donné aux Dames relligieuses de Lhopitale général	117 # 14 s
J	6.1765	reçue de monsieur desglis pour son tabernacle	100 #
LC	1765-1766	de la somme de 148 # 2 Sols recue de Mr desglis pour achevé le payement de Son tabernacle	148 # 2 s
J	15. 5.1766	reçue de monsieur desglis pour achever le payement de l'ouvrage de son tabernacle	118 # 2 s
IOA	1766	aux dames religieuses de l'hopitale généralle pour huit livres d'argent batu et avoir argentée une croix de procession	23 #
		aux mesmes pour avoir peins un tabernacle deux statues un soupied et faitent toutes les fourniture et peins trois lampes a huile pour tout	396 #
J	6. 6.1766	reçue de monsieur desglis pour de l'ouvrage	30 #
IOA	1785	Payé aux religieuses de lhopital général pr parfait payement de 14 chandeliers et 3 Christs qu'elles ont argentés	286 #
J	9. 7.1785	rcu des des doreusse de la fabrique de St pierrealile aconte dunne garniture de chandelliers quelles ont a agenté	50 #
J	7. 1.1786	reçu de la fabrique de St pierre enlisle dorléants pour entier paiement de deux garniture de chandeliers que nous avons argenté pour la ditte paroisse la somme de	152 #
IOA	1795	pour dorure et fourniture de l'ouvrage ci dessus payé à l'hopital	1045 #
J	26. 6.1795	Reçus pour la façon d'argenter une lampe et quelques pots pour l'Eglise de St. Pierre dans l'jsle d'orlean	66 #
J	28. 9.1795	Reçus du Sieur Loüis Rauberg marguillier en charg dela paroisse St pierre dans l'jsle d'orlean, pour dorer et peindre un autel Bombée quatre vingt seize livres, pour dorer et peindre le cadre du maître autel, Cent franc,	

		pour dorer le tabernacle quatre Cent Cinquante livres, pour argenter Six chandeliers et un christ à trois piastres chaque piéce Cent vingt Six livres, le tout	772 #
IOA	1800	pour dorure des petits tabernacles & les deux cadres... pour façon des religieuses	656 # 3 s
J	7. 6.1800	Reçus de Mr Boissonneau Curé de St pierre jsle Dorlean pour lafaçon de dorer, et peindre al'huile deux Autels Bombées Cent trente livre, et pour dorer deux Cadres àla Colle Cent trente livre	260 #
J	24. 5.1844	Reçu de la fabrique de St Pierre Isle d'orléan pour la reparation d'un petit Jésus et la dorure dune Vierge	1 £ 16 sh
DBC	p. 163	D'Esglis (monseigneur Louis-Philippe Mariauchau) (1710-1788), curé de Saint-Pierre I.O. (1734-1788)	
DBC	p. 62	Boissonnault (l'abbé Joseph-Marie) (1766-1834), curé de Saint-Pierre I.O. (1794-1813)	

Saint-Roch-des-Aulnaies (co. L'Islet)

J	28.10.1798	Reçus de Mr jean Baillairgé pere pour lafaçon de dorer or et blanc deux tabernacle pour l'Eglise dela paroisse St Roch Sept Cent livre, et pour fourniture de Cent vingt neuf livrêts dor atrois Shellingh pour le dit ouvrage quatre Cent Soixante quatre livre huit Sols	1164 # 8 s
J	16. 3.1818	Reçu pour façon dune garniture de Chandéliers pour Mr Brodeur	168 #
J	5.12.1818	Reçu pour la dorure du Tabernacle de L'église de St Roch	600 #
		Baillairgé (Jean) (1726-1805), sculpteur	
DBC	p. 84	Brodeur (l'abbé Louis) (1776-1839), aumônier de l'Hôpital-Général de Québec (1811-1812); curé de Saint-Roch-des-Aulnaies (1818-1839)	

Saint-Vallier (co. Bellechasse)

IOA	1767	payé pour le transport du dit tabernacle à l'hopital général	6 #
		item pour le transport du tabernacle	24 #
IOA	1768	payé a l'hopital general pour la dorure du retable	600 #
J	9. 2.1768	reçu de m blondeau pour première a conte de son tabernacle	150 #

J	24. 2.1768	reçu de monsieur blondeau	450 #
J	12.11.1772	reçu de monsieur garos curé pour la fabrique de St Vallier aconte pour la façon du retable	288 #
J	17. 3.1774	reçu de Monsieur gareaux curé de st vallier pour entier et parfait payement des ouvrages faites pour la ditte paroisse	90 #
J	1. 3.1830	Reçu pour façon dune Croix pour la paroisse de St vallier	48 £
DBC	p. 59	Blondeau (l'abbé Thomas) (1709-1770), curé de Saint-Vallier (1762-1770)	
		«Gareaux»: non mentionné dans le DBC	

Sainte-Anne-de-Beaupré (co. Montmorency)

J	18.12.1794	Reçus pour la façon de dorer, et peindre un tour d'autel pour mr gaillard Curé de la paroisse Ste Anne	67 # 15 s
IOA	1824	Argenterie des Chandelliers aux Dames de L'Hop Gen[1]	330 #
J	23.10.1824	Reçu de la Fabrique de la paroisse de Ste Anne pour avoir argenté des Chandelliers	230 #
IOA	1828	Aux Dames de l'Hopital general	942 #
J	15.12.1828	Reçu pour la dorure d'un autel pour la paroisse de Ste Anne	612 #
DBC	pp. 223-224	Gaillard (l'abbé François-Bernard) (1762-1817), curé de Sainte-Anne-de-Beaupré (1786-1802)	

Sainte-Anne-de-la-Pocatière* (co. Kamouraska)
* (voir Sainte-Geneviève de Batiscan)

J	9.11.1780	Recu pour la facon d'un tabernacle que nous avons dorée pour la paroisse de Ste anne du Sud	702 #
IOA	1783	Donné à lhopital Général pour dorer le chandelier paschal	144 #
J	12.10.1783	Reçue pour façon D'un chendeliers pascale pour La paroisse De St. Anne au Sud le Curé est Mr Le fêbre la somme De 10 piastre	60 #
J	4. 5.1786	reçu de monsieur lefêvre curé de Ste annedenba aconte des ouvrages de dorures quil a ici la somme de	80 #
J	25.10.1786	reçu de monsieur lefêbre curé de Ste anne danba pour unne garniture de chandellier et lacroix argenté pour son Eglice La some	114 #

DBC	p. 332	Lefebvre (l'abbé Jean-François-Xavier) (1745-1794), desservant à Sainte-Geneviève de Batiscan (1769-1780); curé de Sainte-Anne-de-la-Pocatière (1780-1794)		

Sainte-Croix (co. Lotbinière)

J	2. 6.1826	Reçu pour la Dorure de deux Cadres pour L'eglise de Ste-Croix	60 #	

Sainte-Famille I.O. (co. Montmorency)

J	5.1757	reçue de mr eudo cure de la Ste famille, por dorure en blé	178 #	
LC	1765-1766	de la somme de 145 # 4 Sols reçue de Mr Eudo, pour ouvrage de dorure	145 #	4 s
J	6. 6.1766	reçue de monsieur Eudo a conte pour de louvrage	145 #	4 s
J	26.11.1766	reçue de Mr Eudo 101 # a conte de louvrage de d'orrie	101 #	
LC	1766-1767	De la Somme de 401 # reçu de Mr Eudo aconte de son tabernacle	401 #	
J	13. 1.1767	reçue de Mr Eudo, a conte de son ouvrage	144 #	
J	3.1767	reçue de Mr Eudo, a conte de son ouvrage	200 #	
J	10.1767	reçu de monsieur Eudo a conte de louvrage de son tabernacle	100 #	
IOA	1768	En dépense extraordinaire payé à l'hôpital-général pour parfait, dernier et entier payement du tabernacle, consoles cadres statues chapiteaux et pots à flamme &	314 #	
J	17. 8.1781	Reçu pour la façon de Six chandelliers et une lampe que à vons argenté pour la Ste famille	144 #	
J	2. 8.1782	Reçu pour la façon de six chandelliers et une croix argenté pour la Ste famille	120 #	
J	12. 1.1784	Reçu des ouvrages de la dorerie par 6 pots argenté pour Mr Guichau et 4 pour l'hotel dieu	24 #	
J	2. 5.1791	reçue du Sieur Gassien prêtre Curé de la paroisse de la Ste. famille six cens livres à Compte de onze Cens livres qu'il doit païer pour lafaçon et fournitures de l'or et autres choses nécessaires pour dorer en plein deux petits tabernacles pour les chapelles de l'Eglise de la ditte paroisse	600 #	

LC	1841-1842	La somme de deux livres courant reçue de la fabrique de la Ste Famille pour la dorure d'une Vierge	2 £
J	15. 1.1842	reçu de la fabrique de la Ste Famille pour la dorure d'une Ste Vierge	2 £
DBC	p. 201	Eudo (l'abbé Gilles) (1724-1779), curé de Sainte-Famille I.O. (1756-1779)	
DBC	p. 258	Guichaud (l'abbé Jacques-Olivier) (1755-1790), curé de Sainte-Famille I.O. (1782-1789)	
DBC	p. 229	Gatien (l'abbé Jean-Baptiste) (1764-1821), curé de Sainte-Famille I.O. (1789-1806)	

Sainte-Geneviève de Batiscan* (co. Champlain)
*** (voir Sainte-Anne-de-la-Pocatière)**

J	7. 7.1772	reçu de mr le fêvre curé de Ste geneviève pour le parfait d'un tabernacle doré a cinq cent livre	232 #
J	17. 4.1777	reçu de Monsieur le fêvre pour 6 chandelliers et une croix que nous avons arganté pour la paroisse de Ste jeneviève	120 #
J	16. 4.1778	reçu de Monsieur le fêbre curé de la paroisse de Ste genevieve pour un chadelier pascal doré pour la ditte paroisse	72 #
DBC	p. 332	Lefebvre (l'abbé Jean-François-Xavier) (1745-1794), curé de Batiscan (1769-1780) avec desserte de Sainte-Geneviève de Batiscan (1769-1780); curé de Sainte-Anne-de-la-Pocatière (1780-1794)	

Sainte-Marie de Beauce (co. Beauce)

IOA	1783	Payé à Mr Levasseur Sculpteur et aux Dames de L'hopital Général pour six grands chandelliers, la Croix, quatre Reliquaires en piramide, et six petits pots a bouquets, façon, Dorure et argenté, L'or et l'argent compris	566 #
J	11. 6.1783	Reçue de La fabrique St. Marie a la Bause — pour une garniture de chendeliers et autres Ouvrages de Dorerie	171 #
IOA	1811	payé pour quatre vingt Livrets d'or pour dorer Le maitre autel	360 #
		payé aux Dames Religieuses de L'hopital general pour façon de la dorure et leur travail	350 #
J	7.11.1811	Reçu de la Dorerie pour un Autel Bombée Doré à la Colle pour la Beauce	300 #

IOA	1812	payé pour vingt livrets d'or	90 #
		payé aux Dames Religieuses de L'hopital général pour dorer Les deux petits autels	396 #
		payé à Charles marié a quebec pour Encaisser Les trois autels	92 #
		payé au passager augustin Labadie pour Traverser Les autels et autres effets de l'Eglise	125 #
J	17. 3.1812	Reçu de la Dorerie pour deux petits autels doré a L'huile pour la Beauce	300 #
LC	1839-1840	La somme d'une livre courant reçue pour la dorure de cinq cens cinquante lettres d'un marbre pour l'Epitaphe de feu Mr Vilade Prêtre	1 £
		(voir la liste des clients particuliers: Charles Hamel)	
DBC	p. 537	Villade (l'abbé Antoine) (1768-1839), curé de Sainte-Marie-de-Beauce (1796-1837); retiré dans cette même paroisse (1837-1839) où il est décédé.	

Sault-au-Récollet (Montréal)
*** (voir Rivière-des-Prairies)**

J	3. 1.1794	Reçus de Mr roy procureur du Séminaire de québec à l'acquit de Mr prévot Curé au Saut des Récolets quatre Cents franc pour la façon de la dorure d'un tabernacle, et Cent soixante huit livres à Compte de trois Cens quatre vingt Seize livres que le dit Mr prévot doit à Nôtre Comté pour la fourniture de Cent vingt livrets dor à trois livres six Sols le livret	568 #
J	21. 3.1794	Reçus de Monsieur Roy prêtre procureur du Séminaire de québec à l'acquit de Mr prévot prêtre Curé auSault des récolêts pour parfait païement de Cent trente quatre livrêts dor cent clous dorer, et le port de la Caisse Contenant le dit ouvrage	284 # 14 s
DBC	p. 448	Prévost (l'abbé Louis-Amable) (1757-1820), curé de Sault-au-Récollet (1790-1799) avec desserte de Rivière-des-Prairies (1790-1796) Roy (Voir Tadoussac)	

Tadoussac* (co. Saguenay)
*** (voir Québec, Séminaire)**

J	10. 4.1788	(?) Reçu de Monsieur Roy prestre et missionnaire des postes du roy la Somme de 228 # pour des ouvrages de dorrures faites la fabrique de cest postes la somme de	228 #

J	18.12.1789	(?) De la somme de trois cens trente et une livre neuf sols reçue de Mr Roy prêtre du Seminaire de québec à compte de ses ouvrages	331 # 9 s
J	16. 4.1790	Delasomme de quatre vingt quatorze livres seize sols reçuë de Mr Roy prêtre du Séminaire de québec, et missionnaire detadoussac, pour parfait païement de sontabernacle, Cadre, et Croix de procession, sur lequel il y a eut seize livres Seize sols pour l'argent de la Croix, et pinture du Cadre	94 # 16 s
J	9. 4.1792	Delasomme de quarante huit livres reçus de Mr Roy procureur du Séminaire de québec dont trente livres pour la façon de six chandeliers, et Six petits pots qu'on lui à argentée pour Sa chapelle de tadoussac, et dix huit livres pour les fournitures	48 #
J	5. 9.1792	De la Somme de quatre vingt Seize livres reçus de Mr Roy missionnaire de tadoussac pour la façon desix chandeliers et un christ pour la chapelle de la ditte Mission	96 #
J	11. 4.1794	Reçus de Mr̂ roy prêtre Missionnaire de tadoussac pour façon depeindre deux autels Bombées, et deux gradins a deux marches	120 #
J	26. 3.1795	Reçus de Mr Roy prêtre procureur du Séminaire de québec missionnaire detadoussac pour lafaçon d'argenter trois croix à Six shellings pièce, et la fourniture de dix livrêts d'argent pour le dit ouvrage à vingt sols le livrêt	31 # 12 s
DBC	p. 484	Roy (l'abbé Jean-Joseph) (1759-1824), curé de Tadoussac (1785-1790) (Allaire ne précise pas le poste occupé par l'abbé Roy entre 1790 et 1795. Néanmoins, grâce aux archives de l'Hôpital-Général de Québec, on peut affirmer qu'il fut procureur du Séminaire de Québec et missionnaire à Tadoussac au cours de cette pédiode)	

Trois-Pistoles (co. Rivière-du-Loup)

J	25. 7.1817	Reçu pour façon dune Garniture de Chandeliers argenté pour la paroisse des trois pistoles	168 #
		Reçu pour la dorure d'un Cadre pour la susditte paroisse	48 #
		Reçu a Compte de la dorure dun Tabernacle pour la meme paroisse	696 #

J	25. 5.1818	Reçu pour Second Accompte du Tabernacle des trois pistoles	212 # 16 s
J	26. 7.1819	Reçu à Compte du Tabernacle des trois Pistoles	300 #

Vaudreuil (co. Vaudreuil)

J	4.10.1793	Reçus pour la façon de huit chandeliers, et un christ argentée pour l'Eglise de la paroisse de Vaudreuil	168 #

II — Clients particuliers

Avocat général

J	1.12.1798	Reçus pour la façon de dorer quatre cadre pour Mr l'avocat général	24 #

Bacster

J	12. 1.1838	de Mad^{me} Bacster pour façon d'un cadre	9 sh

Beatson*

JFB	4. 8.1794	Livrer hier le Chapiteau du miroir pour le Cap^{tne} Beatson, aux dammes de l'hopital général	
J	10. 3.1800	Reçus du Capitaine Beatson pour lafaçon de ses Cadres vingt une livre, pour Cinq livrêts dor à quatre franc, vingt franc, et deux livrêts dargent, atrente Sols un Ecu	44 #

* Il s'agit probablement du capitaine John Beatson dont il est souvent fait mention dans la *Gazette de Québec* relativement aux départs et arrivées de navires à Québec, entre 1785 et 1802.

Berlinguette*

J	27. 4.1836	de la dorure de 4 baillettes pour le Sr. Berlinguette	6 £

* Il pourrait s'agir ici du même Berlinguette qui reçut en 1854 un paiement pour la pose de 7 morceaux d'or à Charlesbourg.
(voir: Noppen (Luc) et Porter (John R.), *Les églises de Charlesbourg*: 46)

Bigot (François)*

LC	1757-1758	de la somme de 242 # recue de m lintendent et mr. bedard pour de louvrage de dorure	242 #
J	4.1757	receu de mr lintendant pour dorure de caleche	72 #

* François Bigot fut intendant de la Nouvelle-France de 1748 à 1760.

Delamar*

J	20. 2.1801	Reçus pour la façon de dorer et peindre al'huile treize Cadres pour Mr Delamar	54 #

* Louis Delamare, marchand importateur de Québec dont le nom apparaît plus de 70 fois dans la *Gazette de Québec* entre 1799 et 1824. Vers la fin de sa vie, on le retrouve comme agent de la York Haven Company, en Pennsylvanie. Il y meurt en 1824. (voir: *Gazette de Québec*, 23.2.1824)

Desjardins (l'abbé Philippe-Jean-Louis)

J	14. 8.1797	Reçus de Mr. Desjardins vicaire général du Diocèse à Compte de ses ouvrages cinquante piastres	300 #
J	3.10.1797	Reçus de Mr Desjardins Vicaire général du Diocèse à Compte de Ses ouvrages Cinquante piastres	300 #
J	19. 6.1798	Reçus des ouvrages dela Dorerie pour Mr Desjardins Soixante dix Sept livre pour lafaçon, et Cinquante trois livre douze Sols pour fourniture dor et argent en feüilles	130 # 12 s
J	2. 9.1800	Reçus de Mr Desjardins Vicaire Géral du Diocèse pour lafaçon de dorer à l'huile deux Cadres, Raccommoder une Vierge, Vingt franc, et un Ecu pour lafourniture de trois livrêts d'argent	23 #
J	2. 9.1801	De la Somme de Cinquante livres Reçu de Monsieur Desjardins pour façon de trois Cadres que nous avons dorré et Soixante dixhuit livres pour or fournit 50 #	78 #
J	27.10.1801	Delasomme de trente six livres Reçu de Monsieur Desjardins pour façon d'un cadre dorré	36 #
DBC	pp. 164-165	Desjardins (l'abbé Philippe-Jean-Louis) (1753-1833), grand-vicaire de l'évêque de Québec (1794-1802). Il procura à plusieurs églises du Québec et à certains particuliers un nombre important de tableaux qu'il sauva de la destruction, lors de la Révolution française.	

Duchesnay*

J	16. 4.1778	reçu pour la dorure d'un miroir pour Mr Duchesnay	30 #

* Il s'agit peut-être ici du sieur Antoine Louis Juchereau Duchesnay, seigneur de Beauport. Mentionné dans la *Gazette de Québec* entre 1767 et 1823, il aurait été conseiller exécutif, membre du Conseil Législatif et représentant de la province de Québec.

Fischer*

J	3.10.1803	Reçus pour la façon d'un cadre et l'or en feuille à mr le Docteur fisher neuf livres douze Sols	9 # 12 s

* Le docteur James Fisher résida à Québec pendant plusieurs années; il est décédé à Dunkeld en 1822. (voir: *Gazette de Québec*, 2.9.1822)

Frémon (Charles)

J	28. 2.1800	Reçus de Mr charles frémon pour lafaçon de dorer un Cadre de miroir avec le chapiteau quarante huit livre et pour fourniture dehuit livrêts et demy dor à quatre franc trente Cinq livres	83 #

Grant

J	16. 4.1778	reçu pour differantes ouvrages doré pour M.d grant	48 #

Guillemin

J	9. 3.1784	Recue pour façon de six chandeliers argenté pour Mr Guillimin La Somme de	48 #
DBC	p. 260	Guillemin (l'abbé Jean-André-Guillaume) (1750-1800) (dans le DBC, on ne mentionne pas les postes qu'il occupe de 1774 à 1785)	

Hamel (Charles)*
*** (voir Bouctouche et Sainte-Marie de Beauce)**

J	6.10.1838	de Mr Hamel marchand pour la dorure de 2 chandelliers	1 £ 5 sh 7½ d
J	1. 6.1840	reçu de Mr Hamel pour la dorure de 550 lettres d'un marbre	1 £
J	14.11.1850	Reçu de Mr Chs Hamel pour la dorure d'une Statue de la Ste Vierge	2 £ 10 sh
LC	1850-1851	Reçu pour la dorure de chandeliers et canons pour l'Eglise du Faubourg St Jean et une statue de la Ste Vierge pour Mr C. Hamel	24 £ 2 sh

* De 1838 à 1865, le nom de Charles Hamel revient fréquemment dans les livres de comptes de l'Hôpital-Général de Québec. Il semble avoir joué le rôle d'intermédiaire entre les religieuses et les paroisses en regard de la vente d'ornements liturgiques et des ouvrages de la dorure.

La Garenne

J	14. 8.1789	De la somme de Six livres reçue pour lafaçon d'un Cadre pour Mr la garenne	6 #

Turgeon

J	26. 8.1808	païée pour lor en feüille et des vîtres pour deux Cadres pour Mr Turgeon Agent des affaires dans nôtre Seigneurie de bellechasse	12 # 4 s

Viltré

J	6. 6.1785	reçu des dorreusse 76 # pour six chandelliers et unne croix argenté pour mademoiselle viltré	76 #
		(de toute évidence, cet ouvrage était destiné à une paroisse, mais nous ignorons laquelle, n'ayant pas pu faire de recoupement avec le nom de mademoiselle Viltré)	

INDEX DES NOMS DE LIEUX, COMMUNAUTÉS, INSTITUTIONS ET MAISONS D'AFFAIRES*

* (Les noms des communautés et des maisons ayant pratiqué l'art de la dorure sont en *italique)*

A

B

C

M

N

O

P

R

S

T

U

V

Y

INDEX DES NOMS PROPRES DE PERSONNES*

* (Les noms des doreurs sont en *italique)*

C

D

E

F

G

H

J

M

N

O

P

Q

R

S

T

V

Table des illustrations

9) Molette, illustration tirée du *Lexique des termes d'art* de Jules Adeline, p. 290.

10) Poêle et réchaud utilisés pour la dorure, monastère des ursulines de Québec. (photo John R. Porter)

11) Pierre-Noël Levasseur (1690-1770), Retable principal de la chapelle des ursulines de Québec, 1730-1736, monastère des ursulines de Québec.
(photo Léopold Désy)

12) Pierre-Noël Levasseur, Retable principal de la chapelle des ursulines de Québec, détail: saint Jean l'évangéliste (socle de la première colonne de gauche), bois doré, (h. 37½ po. × 1. 16¾ po.), 1730-1736, monastère des ursulines de Québec.
(photo John R. Porter)

13) ? Noël Levasseur (1680-1740), Tabernacle du maître-autel de l'église de l'Islet, 1728-1730, bois doré par les ursulines de Québec en 1732.
(photo IOA)

14) Annonce parue dans *Le Journal de Québec* le 23 août 1849.

15) Article paru dans *Le Journal de Québec* le 19 juin 1875.

16) David Ouellet, Tabernacle du maître-autel de l'église Notre-Dame-des-Victoires de Québec, 1877-1878, bois peint et doré par Louis Alméras en 1877-1878.
(photo John R. Porter)

17) Article paru dans *La Minerve* le 12 août 1850.

18) Annonce parue dans *La Minerve* le 7 janvier 1892.

19) Annonce parue dans *La Patrie* le 14 septembre 1883.

20) Soeur Saint-François d'Assise (Marie Joseph Hallé) et François Baillairgé, Chapelle Notre-Dame des Anges, vue d'ensemble, bois doré, argenté et carné, 1788, Hôpital-Général de Québec.
(photo John R. Porter)

21) François Baillairgé, Chapelle Notre-Dame des Anges, détail: la Vierge, bois doré, argenté et carné, (h. 37 po.), 1788, Hôpital-Général de Québec.
(photo John R. Porter)

22) Soeur Saint-François d'Assise (Marie Joseph Hallé), Chapelle Notre-Dame des Anges, détail: colonnade du côté droit, bois doré et argenté, 1788, Hôpital-Général de Québec.
(photo John R. Porter)

23) ? François-Noël et Jean-Baptiste Levasseur, Ancien tabernacle du maître-autel de l'église de Saint-Vallier, vers 1767, bois peint et doré par les augustines de l'Hôpital-Général de Québec en 1768; détruit dans un incendie le 25 janvier 1931.
(photo Musées nationaux du Canada: 74599)

24) Pierre Émond, Tombeau, tabernacle et cadre du tableau du maître-autel de l'église de Saint-Pierre (I.O.), 1795, bois peint et doré par les augustines de l'Hôpital-Général de Québec en 1795.
(photo IOA)

25) Pierre Émond, Tabernacle du maître-autel de l'église de Saint-Pierre (I.O.), 1795, bois doré par les augustines de l'Hôpital-Général de Québec en 1795.
(photo IOA)

26) ? Charles Vézina, Lampe du sanctuaire de l'église de Saint-Pierre (I.O.), bois doré, (diam. 13 po.), 1740. Il est possible que cette lampe ait été argentée par les augustines de l'Hôpital-Général de Québec en 1795 et dorée par la suite.
(photo Léopold Désy)

27) François et Thomas Baillairgé, Ancien banc d'oeuvre de l'église de Loretteville, détail: médaillon de saint Ambroise, (h. 6 pi. 7⅜ po. × 1. 3 pi. 5⅜ po.), vers 1815, bois peint et doré par les augustines de l'Hôpital-Général de Québec en 1816, Musée du Québec.
(photo IOA)

28) Extension géographique de la dorure à l'Hôpital-Général de Québec. L'original de cette carte dessinée par l'auteur a été déposé aux archives de l'Hôpital-Général de Québec.

29) Anonyme, *Vierge à l'enfant,* bois peint et doré, (h. 18 po.), XVIIIe siècle, Galerie nationale du Canada, Ottawa (# 9996).

ACHEVÉ D'IMPRIMER
LE 4ième TRIMESTRE 1975
SUR LES PRESSES DES
ATELIERS OPTIMA
À QUÉBEC POUR LES
ÉDITIONS GARNEAU

10.95